# きみだけの幸せって、なんだろう？

10才から
考える
ウェルビーイング

前野マドカ

WAVE出版

# 目次

# 7

p177

# きみが見つけた幸せのピース

## クッピィ

カルパス家に住み着いたおばけ。よくおたまじゃくしにまちがわれる。しっかりものだけど、さみしがりや。

## カルパス

オスのかえる。マイペースでいつも食べ物のことばかり考えている。大好物はドーナツで、料理するのも好き。

# 幸せって何？

# 1

ボローン
"みんな幸せのために生きている～"
みんな幸せのために生きてるんだって
幸せってどういうことをいうのでしょうか
うーん…

改めて考えるとむずかしいね
そうですね
みんながうらやましいと思うことでしょうか
頭がいいとか運動ができるとか…
うーん…
考えてたらお腹が空いてきた
グウ〜
ドーナツ買って帰りましょう

# わたしたちはなんのために生きる？

わたしたちは、なんのために生きていると思いますか？

いきなりめんどうくさい質問《しつもん》がキター！　とひるまないでくださいね。「どうせ幸せが答えじゃないの」と思っている勘《かん》のするどいきみ。

そうです、答えは「幸せになるため」。わたしたちは人生を始めたその瞬間《しゅんかん》から、「幸せになるため」に生き続けているのです。

「え？　じゃあ、人生って最高じゃん」

そのとおりです。でも、よく考えてみると、

「ところで、幸せってなんだろう？」

# 1 幸せって何？

「どんなときを幸せと言うの？」
そんな疑問《ぎもん》がうかんでくるのではないでしょうか？

きみのおじいちゃん、おばあちゃんの世代、親の世代には「幸せとはこうあるべき」というかたよった考えがありました。

たとえば、偏差値《へんさち》の高い大学に入学して、大企業《だいきぎょう》に勤《つと》めることが幸せ。安定が保障《ほしょう》された公務員《こうむいん》になることが幸せ。お金持ちと結婚《けっこん》できることが女の人の幸せ……など。幸せの型《かた》が決まっていて、だれもが同じゴール地点を目指して走っていました。その型《かた》にはまれば幸せだと思っていたので、「幸せって何？」という疑《ぎ》問《もん》を抱《いだ》くことも少なかったでしょう。

しかし、それから大企業《だいきぎょう》がつぶれたり、ひとつの会社に長く勤《つと》めることがへったり、社会は変化していきました。ＡＩも登場し、きみたちが大人になるころには、現在《げんざい》の仕事の半分はなくなっているといわれています。

これまで理想とされていた幸せの形はガラガラとくずれ、幸せは人それぞれにゆだねられるようになっていきました。

そもそも、好きなことも得意《とくい》なこともちがう人間が、決められたひとつの幸せの型《かた》に自分を合わせていくのは不自然なこと。自分の幸せを自分で見つけて生きていく時代がきたことは、うれしい変化です。

ただし、自分の幸せを見つけるには「自分」を深く理解《りかい》していかなければなりません。親や社会の言うことを聞いていればよかった時代とは反対に、だれもきみの幸せを決めてはくれません。「わたしの幸せって何？」と、自分に問い続けることが必要なのです。

この本では、幸せってなんだろうと考えながら、きみがきみだけの幸せを見つけていくためのヒントをお話ししていきます。

そして、幸せについて話し始める前にきみに伝えておきたかったのは、「人は幸せになるために生きている」ということ。

どんなにいやなことが起こったとしても、どんなに寄《よ》り道をしても、きみは幸せになることが決まっている、まずはそんな安心感を持ってください。だれでも幸せのために生きていいし、その幸せは自分で見つけていくものです。

それでは、「幸せって何？」そんな疑問《ぎもん》から始めていきましょう。

# 幸せ＝ハッピーだけじゃない！

幸せを英語で言うと「ハッピー」。

でも実はもうひとつの言い方があるんです。それが「ウェルビーイング」。これは日本語にすると「いい状態《じょうたい》」のことです。

つまり幸せには「ハッピー」と「ウェルビーイング」があって、この2つには大きなちがいがあります。

それは、幸せが瞬間的《しゅんかんてき》なものか、長続きするものか、です。

では、みなさんが今、楽しい、うれしい、と感じるものは瞬間的《しゅんかんてき》な幸せなのか、それとも長続きする幸せなのかをチェックしてみましょう。

次の4つは、どちらに当てはまると思いますか？

**新しいゲームを買ってもらうこと**
**徒競走で一位になること**
**焼肉をいっぱい食べること**
**お年玉をたくさんもらうこと**

たしかに、どれもまちがいなく幸せです。ただ、例に挙げた幸せは全部、瞬間《しゅんかん》的《てき》な幸せ、つまり長続きしない幸せに分けられます。

ほしいものを買ってもらえたら、もちろんうれしいのですが、人にはあきてしまう習性《しゅうせい》があります。どんなに高くていいものでも、次第《しだい》にあきてきて、もっと新しいゲームがほしい、という欲《よく》が生まれてくるのです。

徒競走で一位になったらうれしくて飛び上がってしまうほどですが、その気持ちを持ち続けるにはずっと一位にならなきゃいけなくなってしまいます。

また、おいしいものを食べるというのも一瞬《いっしゅん》の満足感で、そのときの気持ちは1カ月も続かないですよね。

こうした瞬間的《しゅんかんてき》な幸せを「ハッピー」とよびます。もちろんハッピーは悪いことではありません。ハッピーを感じることも、わたしたちには必要です。

ただ、幸せをたしかに感じるけれど、その幸福感は長く続くものではなく、そのときだけの幸せ、ということは覚えておきましょう。

それに対して、ウェルビーイングは長続きする幸せです。新しいゲームを買ってもらうことに幸せを感じるのはハッピーですが、ゲームを友達と一緒《いっしょ》にすることに幸せを感じているなら、それは長続きする幸せ、ウェルビーイングになります。

なぜかというと、「今日はみんなと一緒《いっしょ》にゲームして楽しかったな。今度また教えてもらおう」と後から思い出してもうれしい気持ちが続くから。これは幸せが長続きしている証拠《しょうこ》です。

ハッピーの中でも注意してほしいのは、お金と、ものと、地位によるもの。

# 1 幸せって何？

お金やものや地位は、一見幸せを感じさせてくれるようで、長続きしない幸せといわれています。それは、持っていることに慣《な》れて、あることが当たり前になってしまうから。そして、自分よりもいいものを持っている人が現《あらわ》れたとたんに幸せはうすれ、もっとほしいという欲求《よっきゅう》が生まれてしまうから。

「大きな家に住めて幸せ」と思っていても、もっと大きくて豪華《ごうか》な家に住んでいる人が現《あらわ》れたとたん、これまで素敵《すてき》に見えていた家が、素敵《すてき》に見えなくなってしまうのです。

それよりも幸せにつながりやすいのは、人と比《くら》べられないこと。温かい家族がいること、夢中《むちゅう》になれるものがあることなど、人と比《くら》べられないことを大切にできる人は、どんな小さな家に住んでいても幸せなのです。

お金持ちの代表ともいえるハリウッドスターたちは、お金、名誉《めいよ》、大きな家とあらゆるものを手に入れています。

でも、そんなかれらが口をそろえて言うのは、「自分を幸せにしてくれるのは、お金や大きな家ではなく、気の置けない仲間とワインを飲む時間、家族と笑ってすごす時間」ということ。

お金やもの、地位を手に入れることができても、できなくても、ずっと続く幸せが一番だということを、わたしたちはみんな心のどこかでわかっているんです。

「幸せになりたい」と思ったとき、思いうかべているものがハッピーか、ウェルビーイングか、チェックしてみてくださいね。

どちらも幸せにちがいはありませんが、長く、いつまでも変わらずにきみを支《ささ》えてくれるのは「ウェルビーイング」です。

# 結婚《けっこん》していると幸せ？

将来《しょうらい》、結婚《けっこん》すると思っている人はどれくらいいるでしょうか。結婚《けっこん》したい、するかもしれない、してもしなくてもいい、したくない。いろいろな考えがあるかもしれませんね。

もし仮《かり》に、結婚《けっこん》するなら何歳《なんさい》くらいがいいですか？
結婚《けっこん》したらどんな場所に住みたいですか？
どんな家にしたいですか？
子どもは何人いるでしょうか？

幸せな理想をえがくことは、とってもわくわくすることですよね。これからの出会いは無限大《むげんだい》。まだ見ぬ未来に視野《しや》を広げて、こんな人と、こんな場所で、こんな生活をしてみたいとイメージをふくらませてみてください。

ある統計《とうけい》では、結婚《けっこん》している人のほうがしていない人より幸福度が高く、結婚《けっこん》している人の中では、子どものいる人のほうが幸せを感じているという結果が出ています。

また、幸せに関する研究では、「つながりが多いほど幸せを感じる」ということがわかっています。そのため結婚《けっこん》や子どもに幸せを感じるという統計《とうけい》結果は、つながりができることに関係していると考えられるでしょう。

ここまで話すと、

「それなら、結婚《けっこん》したほうが幸せなんだ」

と思ってしまうかもしれませんね。

でもここで言いたいのは、結婚《けっこん》したほうが幸せで、結婚《けっこん》していない人は幸せではない、という話ではありません。

「結婚《けっこん》によって人とのつながりが生まれ、幸せを感じる人が多い」ということはたしかにありますし、幸せな出会いや結婚《けっこん》をしたいと考えることは素敵《すてき》なことです。

しかし、こうした統計《とうけい》が「結婚《けっこん》したら幸せになれる」「結婚《けっこん》しなければ幸せになれない」という発想をもたらしてしまうことには、危機感《ききかん》を覚えています。

「○○があれば幸せになれる」という発想は、自分には幸せが足りないと、不足感を抱《いだ》いている人の考え方です。

自分ひとりでは幸せを感じられないので「結婚《けっこん》すれば満たされて幸せになれる」と考えるのですが、根本的な部分が解決《かいけつ》できていないため、またすぐにちがう不足感を抱《いだ》き始めてしまいます。

これでは、いつまでも幸せを感じることはできません。

反対に、満たされている人は、自分ひとりでも幸せな人です。自分にとってのいい状態《じょうたい》を知っていて、自分で自分を幸せにできる人なんですね。

そういう人は結婚《けっこん》しないで生きるという選択肢《せんたくし》を自分で選ぶこともありますし、結婚《けっこん》していなくても、子どもがいなくても、豊《ゆた》かな人間関係の中で幸せに生きられるのです。

幸せになるために大事なことは、結婚《けっこん》しているか、していないかではなくて、今すでに幸せな自分を感じているかです。

そういう人どうしが一緒《いっしょ》になって、2人の幸せってなんだろうと考えられる結《けっ》婚《こん》なら、こんなにすばらしいことはありません。すでに満たされている自分に新しい幸せがプラスされ、幸せは倍増《ばいぞう》していくでしょう。

まずは自分が幸せに生きることが大前提《だいぜんてい》。自分の幸せを追求していくきみには、結婚《けっこん》してもしなくても幸せな未来が待っていることまちがいなしです。

# イケメンと美人は幸せ？

テレビやユーチューブなどに出ている人を見て、「イケメン」「美人」と話題にすることがあると思います。きみの学校でも「イケメン」「美人」と、うわさの的になる子がいるかもしれないですね。

でも、そもそもイケメンや美人って何を基準《きじゅん》にして言っているのでしょうか。友達が言っているから？　じゃあ友達に聞いてみると、きっと「わからない」「イケメンはイケメンだよ」なんて、根拠《こんきょ》のない答えが返ってくるでしょう。

そもそも、友達が思うイケメンをきみがイケメンだと感じないこともあると思います。そう、きみのイケメン感覚と友達のイケメン感覚ですら一致《いっち》することはありません。

みんながイケメンだと思うぼんやりしたイメージは、ほとんどメディアが作りあげたものです。この人はイケメンだとメディアが売り出すことで、多くの人にイケメン定義《ていぎ》がぼんやりとできあがっていくのです。

メディアが作りあげたイケメン、美人の定義《ていぎ》ですから、時代によって変化します。きっと親が「イケメン」だと言った人が、きみにとっては全然イケてると思えないこともあるでしょう。

自分がイケメンかどうか、美人かどうか気になる気持ち、とてもわかります。かっこよくなりたい、きれいになりたいと思うことはごく自然な願望です。でも、みんなが思うイケメンや美人の定義《ていぎ》に近づきたいと思うほど、近づけない自分を感じ、永遠《えいえん》に満たされないループにはまってしまいます。

イケメンだから、美人だから好かれることも一時的にはあるかもしれません。でも、もしその要素《ようそ》だけで好かれているとしたら、イケメン・美人の定義《ていぎ》が変わった瞬間《しゅんかん》にはなれていくということになります。そんなのさみしいですよね。

きみがうれしいときには一緒《いっしょ》に喜《よろこ》び、こまったときには助けてくれる人。一緒《いっしょ》にいて温かい気持ちになれるような人を思いうかべてみてください。

きみはその人たちのことをイケメンだから好きなのでしょうか。美人だから一緒《いっしょ》にいたいのでしょうか。

きみのことを思ってくれる人たちも、同じです。

親や友達は、他のだれでもないきみだからこそ、大切に思っているのです。外見も中身も、唯一無二《ゆいいつむに》のきみだからこそ一緒《いっしょ》にいたい。そんなふうに思ってくれる人との関係はずっと続きます。

外見をみがくことは悪いことではありません。でもそれは、他のだれかになろうとする方向ではなく、きみの魅力《みりょく》を最大限《さいだいげん》に引き出すみがき方でするべきなんですね。世間が決めた基準《きじゅん》に自分を当てはめる必要はありません。

きみの良さが現《あらわ》れるのも顔です。

やさしさ、まじめさ、正直さ、熱いところなど、きみを作る要素《ようそ》がみがかれていくほど、きみの顔つきは変わっていくでしょう。

世界有数のファッションブランドの創設者《そうせつしゃ》、ココ・シャネルがこんな言葉を残していいます。

「20歳《さい》の顔は自然から授《さず》かったもの。30歳《さい》の顔は自分の生きざま。だけど50歳《さい》の顔にはあなたの価値《かち》がにじみ出る」

年齢《ねんれい》を重ねるほど生きざまが顔を作っていく、美しさも自分次第《しだい》、というシャネルの名言は、多くの人に影響《えいきょう》をあたえてきました。たしかに、自分にしかないオリジナルな生き方をしてきた人の顔は魅力的《みりょくてき》です。世界に向けて美を提唱《ていしょう》し続けた人の言葉だからこそ説得力《せっとくりょく》がありますね。

シャネルの言葉は年をとってからの話に限《かぎ》りません。きみたちだって自分の考えを持っているし、オリジナルな毎日を生きています。

一人ひとりが、すでに魅力的《みりょくてき》な顔をしているのです。

# 優《ゆう》等《とう》生《せい》は幸せ？

わたしは小学生のころ、いわゆるまじめなタイプでした。テストでいい点をとると親がすごく喜《よろこ》ぶので、好きかきらいかは関係なく、ただ親を喜《よろこ》ばせたくて勉強していました。もちろんいい点数をとると自分もうれしいのですが、「算数が好きで勉強している」など、好きかきらいかを考えることもなかったのです。

優等生《ゆうとうせい》を外から見ると、なんでもできて、親や先生にもよくほめられて、幸せそうだなあなんて思うかもしれません。でもその中には、かつてのわたしのように、自分がしたくて行動しているのではなく、親や先生からほめられるために言うことを聞いている人もいると思います。

ルールを守ることや、いい結果を出すことは悪いことではありません。しかし、だれのために、なんのために、がわからないまま走り続けると、自分の気持ちがわからなくなってしまうのです。

**本当はつかれていて休みたいのに、皆勤賞《かいきんしょう》を目指して学校へ行く**
**本当は派手《はで》な服も着てみたいけど、親がすすめる服を着ている**
**本当はまとめ役なんてしたくないけど、親が喜《よろこ》ぶから学級委員に立候補《りっこうほ》する**

毎日休まず登校することも、自分がしたくてするならいいんです。その結果、まわりがほめてくれたら気分もいいですよね。

でも、「本当はこうしたいのに」という気持ちをおさえてまで、いい子でいることを選び続けたら、どうなるでしょうか？

自分の心をおきざりにしたまま動き続けた先にあるのは、「自分は何がしたいのか、どう動けばいいのかがわからない人」になってしまう未来です。

将来《しょうらい》、自分の人生を自分で選んで生きなければならないときになって、「何がしたいの？」という質問《しつもん》に答えられないことに気づく……。そんなの悲しいですよね。

そのころには親も、先生も決めてくれないのです。

親は「いい子」だからきみを好いているのではありません。自分らしく「いい」生き方をしている「子」になってほしいと、心から願っているものです。

もしもきみが、親や先生、まわりの期待に応《こた》えるためにしていると思うことがあったら、「本当はどうしたい？」と自分に聞いてあげましょう。

そして「やりたい、好き、チャレンジしたい」という自分の本音をさがしてみてください。

自分らしく、楽しく生きているきみのすがたが、一番みんなを喜《よろこ》ばせるのですから。

# 世界一幸せな国が教えてくれること

北欧《ほくおう》とよばれる国はどこか知っていますか？

デンマーク、スウェーデン、ノルウェー、フィンランド、アイスランドの5カ国のことで、国民の幸福度が高いことで注目されている国々です。

国連の関連機関が毎年発表する、世界幸福度調査《ちょうさ》（２０２３年）では、1位フィンランド、2位デンマーク、3位アイスランド、6位スウェーデン、7位ノルウェーと北欧《ほくおう》のすべての国が10位内にランクインしていました。自分の国で暮《く》らせて幸せだと思えるなんて、すごいことですよね。ちなみに日本は47位でした。

北欧《ほくおう》の国の幸福度がこれほどまでに高い理由、それはだれもが小さいころから、「人は幸せになるために生きている」という教えのもとで生きているから。

親はもちろん、おじいちゃん、おばあちゃん、先生、近所のおじちゃんやおばちゃん、スーパーのレジの人でさえも、子どもに関わるすべての大人が口をそろえて「人は幸せになるために生まれてきたんだから、何をするにも、まずきみが幸せになるほうを選んでいくんだよ」と言ってくれるんです。

フィンランドには大学受験がありますが、日本のように学校の偏差値《へんさち》による格差《かくさ》はありません。ランクの高い大学を出ていると就職《しゅうしょく》に有利ということはあまりなく、新卒（大学を卒業したばかりの人）じゃないと就職《しゅうしょく》しにくい、大企業《だいきぎょう》に就職《しゅうしょく》できたら定年まで働いて一生安心、という考え方もありません。

それに、決まった卒業の時期はなく（卒業論文《ろんぶん》を出したら卒業となります）、仕事を始める時期も人それぞれです。

仕事をしてみて「ちがうなあ」と思ったら、もう1回大学に入り直す人もいます。数学の研究者だったけど音楽の専門《せんもん》学校に入り、音楽を仕事にする人もいるほどです。

「幸せになるために生きている」が考え方の根っこにあるため、いい大学に入るよりもやりたいことが学べる大学に進む。大企業《だいきぎょう》に勤《つと》めて安定するよりも、やりたい仕事をする、楽しい仕事をすることを大切にしているんです。

わたしが北欧《ほくおう》で出会った青年は、大学を出た後、親のトナカイ農場を手伝っていました。ところが、将来《しょうらい》は美術《びじゅつ》の先生になるんだよと意気揚々《いきようよう》と話すんです。

「農場をしている人が先生になるなんて、仕事がちがいすぎるでしょ」

「今からじゃ無理だよ。おそすぎるよ」

「りっぱな仕事があるんだから、わざわざ先生にならなくても」

そんなことを言われてしまうかと思いきや、北欧《ほくおう》ではそんなことを言う人はひとりもいません。たとえ言う人がいたとしても、本人は自分がこれから美術《びじゅつ》の先生になることを信じ切っているので、まったく気にしないでしょう。

「自分は幸せになるために生きている。自分の幸せは大好きな美術《びじゅつ》の先生になること。自分が幸せになることは１００％約束されているのだから、ぼくが美術《びじゅつ》の先生になることは明白な事実さ」

かれの中には幸せの方程式《ほうていしき》が成り立っていて、不安やあせりはいっさいありません。トナカイ農場にも絵をかざるなど、今できる範囲《はんい》で、自分の美術《びじゅつ》の才能《さいのう》を活《い》かして生活を楽しんでいるのです。まだ美術《びじゅつ》の先生になっていない今も、すでに幸せなんですね。そんな青年のすがたに、北欧《ほくおう》の国々が幸せの国と言われている理由が見えた気がしました。

北欧《ほくおう》の人たちが大事にしているのは、ひたすら幸せになるほうを選ぶこと。「勉強ができるから医者になる」という発想ではありません。医者になれる学力があっても、手先の器用さを活《い》かしたいから美容師《びようし》になるという選択《せんたく》は、北欧《ほくおう》の人にとっては当たり前なのです。

自分の心が幸せになることが一番大切で、自分は必ず幸せになれることを、すべての人が知っている国なのですね。

生きていると、きっといろいろなことに出合います。楽しいこともちろん、不安になったり、傷《きず》ついたりすることもあるでしょう。もしかしたら、だれかにじゃまされてしまうことも。

でもそんなときに、「自分が幸せになることは100％約束されている」という言葉を思い出してほしいのです。

きみは幸せになることが決まっています。北欧《ほくおう》の青年が言っていたように。結婚《けっこん》も、見た目も、頭の良さも、幸せの理由にはなりません。他人から見たきみではなく、きみから見たきみがいい状態《じょうたい》でいられたら、それが一番の幸せなのです。

# 2

# 幸せは人それぞれ

幸せは一人ひとりちがうものらしい ぼくらの幸せってなんだろう…
うーん
しあわせ
そうじをしているときは楽しいですよ!
そうじ… やってみようかな…
サッ
サッ

ふう〜っ
つかれた…
楽しいとは思えないなぁ
やはり人それぞれちがうのでしょうか?
うーん よく わからない なぁ
考えると お腹空く
ポロ ポロ
食べるのが ぼくの 幸せかな?
そうかも しれませんね

# 幸せは一人ひとりちがうもの

ある女の子、Sちゃんのお母さんからこんな話を聞きました。

「冬休みにディズニーランドに連れていったのに、全然喜《よろこ》ばないんです。お友達はみんな行っているし、自分だけ行ったことがないのはかわいそうだと思って、せっかく連れていったのにずっとつまらなさそうで。下の子はものすごく喜《よろこ》んだのに、『家にいたほうがよかった』って言うんです。おかしいですよね」

どう思いましたか？

「なんで？」と思った人も、「わかる」と思った人もいるでしょう。

では、きみにはこんな経験《けいけん》がありますか？

**この音楽いいよと友達が教えてくれたけど、全然好きじゃなかった**
**「子どもだからこれ好きでしょ」と苦手な料理をたっぷり出された**
**いつもドッジボールにさそわれて参加するけど、本当は絵を描《か》いていたい**

だれかにとっていいものは、きみにとってもそうだとは限《かぎ》りませんよね。

Sちゃんの場合も同じ。Sちゃんとお母さん、どちらかが合っていて、どちらかがまちがっていることはありません。東京ディズニーランドではしゃぐことは楽しいと思っているお母さんと、家でゆっくりすることが好きというSちゃんとでは、幸せに感じることがちがっただけ。

幸せは一人ひとりちがうものです。

だれかのではなく、自分にとっての「いい状態《じょうたい》（ウェルビーイング）」こそ、きみの幸せなのです。たとえ親子であっても、自分の考える幸せを人におしつけてはいけません。

では、どうしたらきみは「いい状態《じょうたい》」になれるかというと、実は教えられません。というのも、きみにとっての「いい状態《じょうたい》」はきみしか知らないんです。

ただ、ヒントになることはあります。

たとえば、わたしにとっては「わくわく」しているときが「いい状態《じょうたい》」です。他にも「安心」「うれしい」「楽しい」「ドキドキ」「のんびり」、そんな気持ちになっているときを「いい状態《じょうたい》」とすると、イメージしやすくなると思います。

もし、家でゴロンとしながら、のんびりマンガを読んでいるのが好きならば、それがきみの「いい状態《じょうたい》」です。外でドッジボールや野球、サッカーをしているときがわくわくするのなら、それがきみにとっての「いい状態《じょうたい》」。

リラックスすることが好きな人、わくわくしながら物事にチャレンジすることが好きな人、どこに幸せを感じるかは人によってちがうものなのですね。

もちろんどちらの状態《じょうたい》も好きという人もいれば、そのときによって「いい状態《じょうたい》」が変わることもあります。

# 「普通《ふつう》」の幸せなんてない

きみにとって、学校に行くことは「普通《ふつう》」ですか？

「明日、学校に行きたくない」そんな気持ちになることはだれだってありますよね。

とはいえ、みんな学校に行くし、学校に行くことは当たり前なんだから、と気合を入れて通学している子もいるでしょう。

「学校に行くのは普通《ふつう》のことなんだから、ぐずぐず言わないの」と親に言われることもあるかもしれませんね。

そんなふうに、「これが当たり前」「これが普通《ふつう》」という言葉がよぎったとき、ちょっと立ち止まってみてください。

## 学校に行くことは「普通《ふつう》」なのか？
## 友達がいっぱいいることが「普通《ふつう》」なのか？
## 背《せ》が低い、または高い自分は「普通《ふつう》」ではないのか？

そんな問いかけをしてみてほしいのです。そして「当たり前」や「普通《ふつう》」という発想は一体どこから来ているのか、「普通《ふつう》」に合わせることが自分の幸せになるのか？　と考えを進めてみてください。

たとえば、きみが本当は学校に行きたくないという思いを抱《かか》え、不登校ぎみになったとき。「普通《ふつう》から外れてしまった」と、自分に不安やあせりを感じることがあるかもしれません。

たしかにわたしが子どものころには、学校に行くことが当たり前だと、だれもがうたがっていませんでしたし、学校に行けない子は不思議に思われることもありました。「学校に行けなくなったら、人生のレールから外れてしまう」、そのように思われていた時代でした。

小学校、中学校、高校に通い、いい成績《せいせき》をとって偏差値《へんさち》の高い大学に行き、大《だい》企業《きぎょう》に就職《しゅうしょく》する、という流れが「幸せ」であった時代には、学校へ行くことが「普《ふ》通《つう》」だったのです。

しかし時代が変わり、学校に通い続けた先に、絶対的《ぜったいてき》に安心な未来があるとは限《かぎ》らないと気づく人が増《ふ》えました。昭和、平成時代の「普通《ふつう》」は現代《げんだい》には合わなくなってきているのを感じる人は多いでしょう。

わたしたちは「普通《ふつう》」という基準《きじゅん》にそっているか、そっていないかで自分を評価《ひょうか》しがちですが、実は「普通《ふつう》」というのは、そのときどきの社会が作りあげたひとつの基準《きじゅん》です。時代の変化によってまったくちがう形にもなりえるものなのです。

学校に行くことが普通《ふつう》という考えも、大きな変化をむかえています。通信制《つうしんせい》の高校に進み、学習は家でしながら、自分がやりたい活動に時間を使う人もいます。大学在学中《ざいがくちゅう》に起業して、会社が軌道《きどう》に乗ったから大学はやめるという人もいます。学校へ行かない選択《せんたく》をして、パソコンなどで独学《どくがく》をしながら、自分の行き先を自由に見つけていく人もいます。

これまでの「普通《ふつう》」からはまったく外れているものの、自分の生き方を見つけていきいきと人生を歩んでいる子どもたちに数多く出会ってきました。

多くの人が「普通《ふつう》」と考える定義《ていぎ》は、ひとつの大きな価値基準《かちきじゅん》ではあるけれど、絶対的《ぜったいてき》なものではありません。世間にとっての「普通《ふつう》」の幸せと、自分にとっての幸せはまったく別物なのですね。

違和感《いわかん》を覚えたときには、それをなかったことにして「普通《ふつう》」になれるようまわりに合わせるのではなく、普通《ふつう》にはなれないと自分を否定《ひてい》しないで、「普通《ふつう》とはなんだろう?」と、自分の幸せについて考えてみてください。

「普通《ふつう》」「当たり前」に違和感《いわかん》を覚えたら、その方法は自分の幸せとはズレているというサイン。違和感《いわかん》は「自分にとっての幸せとは何か」を考えるチャンスなのです。

きみの幸せが「普通《ふつう》」とちがうなら、自分だけの幸せの方向をさがせばいいだけ。普通《ふつう》を問い、自分の幸せにアンテナを立てていれば、きみだけの幸せをかなえる場所を見つけることができるでしょう。

# 幸せは変わってもいい

前は友達と一緒《いっしょ》にいることが一番楽しかったのに、最近はあまり楽しめない。最近のわたし、ちょっとおかしいな……。

そうやって、ちょっと前には楽しい、うれしいと感じていたことが、なんとなく色あせたように感じること、ありますよね。

そんなとき、「わたしはおかしくなってしまったの!?」とさみしく思ったり、変わってしまった自分に落ちこんだりする必要はまったくありません。

いい状態《じょうたい》かどうかは、そのときの心が判断《はんだん》するもの。過去《かこ》と比《くら》べるものではありません。

いつもだれかと一緒《いっしょ》にすごし、刺激《しげき》や変化の多い毎日が続くと、だんだんとひとり静かな時間を求めるようになることがあります。刺激的《しげきてき》な時間が幸せだと感じていたきみはリラックスすることが幸せだと感じるようになるのです。そして、この逆《ぎゃく》のことも起こります。

何を幸せと感じるかは、置かれた状況《じょうきょう》で変わるものです。だって、ずっと同じ毎日をすごす人なんていませんよね。

幸せを感じる場所が変わっても、そのときの自分がそこでいい状態《じょうたい》になれるのなら、それでOK。幸せは変わっていっていいのです。むしろ、「幸せはこれだ」と、決めつけてしまうほうが危険《きけん》です。

大切なのは〝今の自分〟が幸せだと感じる瞬間《しゅんかん》に気づくことです。だからこそ、自分がどんなときに幸せを感じているかを問い続けていきましょう。

# きみだけの幸せって何？

では、「きみだけの幸せって何？」と聞かれたらなんと答えますか？

**友達と思いっきり遊ぶこと**
**大好きなペットを散歩に連れていくこと**
**好きなゲームをすること**
**おもしろいマンガを読むこと**
**家族とごはんを食べにいくこと**

いろいろな答えが出てきそうですね。
ちなみに辞書で「幸せ」を引いてみると、「その人にとって望ましいこと。不満がないこと」とあります。これは、「こうすると幸せ」という形はないということ。つまり、幸せと一言でいっても、人によってまったくちがう答えになるのです。

きみの幸せをだれかが決めることはできません。そしてだれかに「これが幸せだよ」とおしつけることもできません。

好きなマンガやアニメだって、みんな一緒《いっしょ》ではないですよね。

幸せな状態《じょうたい》というのは、自分で考えて、決めて、行動できていること。だれかに命令されてマンガを読むのではなく、本屋に行って自分で選んだマンガを読むことです。

そして、自分だけの幸せを見つけるためにはまず、自分を知るところから始めます。

自分のことだからなんでも知っている？　本当にそうでしょうか？

何をしているときが楽しくて、どういうときにホッとするのか、なんて言われたらうれしくて、どんな人とすごすのが好きか、何をするのが得意《とくい》なのか、くやしいと思うのはどんなときか……。

考えれば考えるほど、きっと知らない自分が顔を出すはずです。そんなふうに、自分にとってのいい状態《じょうたい》を発見していくのです。

幸せになるということは、自分だけの幸せの形を見つけていくこと。それは、つまり、自分を知っていくことです。

きみがわくわくしたり、ホッとしたり、いい気分でいられるのはどんなときですか？

# 感情《かんじょう》は自分を知る大きなヒント

幸せを見つけるには自分を知ること。でも、自分がどんな人で、何が一番好きで、どうなりたいのか、考えてみたら意外とわからなかったりします。

そんなときに注目してほしいのは、きみの「感情《かんじょう》」です。

きみはどんなときに心が動きますか？

どんなときにわくわくして、どんなときにいやしを感じるのか、どんなときに悲しくて、どんなときに怒《おこ》るのか。そんなふうに自分の感情《かんじょう》の動きを知ることが、幸せを見つけるためにはすごく大事なのです。

たとえば、最近一番楽しかったことと、悲しかったことを答えられますか？

もし答えられたら、自分の気持ちを観察できている証拠《しょうこ》です。

**友達と一緒《いっしょ》にサッカーして、楽しくて最高だった!**
**おばあちゃんが映画《えいが》に連れていってくれてうれしかった**
**自分だけ塾《じゅく》に行って、友達と遊べなくて悲しかった**
**次の試合のメンバーに選ばれなくてくやしい**
**お母さんが約束を守ってくれなくて頭にきた**

そんなふうに、日常《にちじょう》の出来事に対して動く、自分の感情《かんじょう》に注目してみてください。ポジティブな感情《かんじょう》、ネガティブな感情《かんじょう》、いろいろな感情《かんじょう》をキャッチできるようになると、自分のことがよくわかっていきます。

大人になるにつれて、感情《かんじょう》を出すことははずかしいこと、子どもっぽいことだと隠《かく》してしまう人や、なかったことにしてしまう人も多いものです。感情《かんじょう》よりも論理《ろんり》が大事だという人もいますね。でも、感情《かんじょう》こそが本来の自分を知るための最も重要な手がかりなのです。

自分の感情《かんじょう》を知ると、きみがどういうことを大切にしているのか、何が好きなのか、どんなときにうれしい、悲しいと感じているかがわかるようになります。その積み重ねが、自分だけの幸せを見つけることにもつながります。

心が動くってすばらしいことなんです。そのタイミングも人によってちがいます。虫がこわい人もいれば、虫にときめく人もいる。同じコントを見て笑う人もいれば、笑わない人もいる。全米が泣いた映画《えいが》だって、泣く人と泣かない人がいていいんです。

だから小さくても、みんなとちがっても、抱《いだ》いた気持ちを大切にしてください。きみがきみとして生きるために、一つひとつの感情《かんじょう》をしっかりにがさないようにしていきましょう。

# 人と比《くら》べられない、いいところをさがす

もうひとつ、自分を知るためにかかせないことがあります。それは、「人と比《くら》べずに、自分のいいところをさがす」ことです。

そう言うと、「そんなのない！」という声が聞こえてきそうですね。

では逆《ぎゃく》に、きみには自分のいやなところがありますか？

**算数が全然できないところ**

**練習してもレギュラーに選ばれないこと**

**足がおそくて、運動が苦手なところ**

できていないことや、足りないところを感じて「自分がいやだ」と思うこと、

だれにでもあると思います。「好きなところはどこですか？」と聞かれるとなかなか出てこないのに、きらいなところを聞かれると次から次へと挙げられるなんて人が意外にも多くいるものです

そんなふうに自分を認《みと》められないときは「なぜか？」を追究してみましょう。

なぜ、自分がいやになった？

「算数ができないから」

なぜ、できないと思う？

「むずかしい問題が解《と》けないから」

なぜ、むずかしい問題を解《と》けるようになりたい？

「頭がいいと思われたいから」

「なぜ？」をくり返していくと、自分の中に「こうなりたい」という理想像《りそうぞう》があることがわかってくるでしょう。

すごく勉強ができる自分、ピアノがだれよりも上手な自分、サッカーのエースになっている自分、リレーで1位をとっている自分など、思いえがいた理想に、まだとどいていない自分を感じるから、いやになるのです。

理想像《りそうぞう》というのは、人よりも上手になる、順位を上げる、評価《ひょうか》されるなど、だれかと比《くら》べて作りあげていることがほとんど。

ただ、理想としている結果が出るときもあるし、たまたま出ないときもあります。それなのに結果を出すことを目的にしてしまうと、「結果が出せない自分はダメなヤツ」と、自分で自分を決めつけてしまうのです。

この理想像《りそうぞう》を取りはらって、自分のことを見つめてみましょう。だれかと比《くら》べたときのきみではなく、きみだけのいいところをさがすのです。

「自分だけのいいところなんてない」と思いますか？　それがあるんです。だれでも必ず自分にしかない価値《かち》がある、これは断言《だんげん》できます。

たとえば、こんなところ。

**自分で決めたことはつらぬくところ**
**人を笑わせるのが大好きなところ**
**自分の考えを人に伝えられるところ**

ひとりで見つけるのがむずかしいときは親やおじいちゃん、おばあちゃんに聞いてみてください。「あいさつの声が明るくてみんなを元気にする」「笑顔が素敵《すてき》」「こまっている人に声をかけてくれるやさしさがある」など、すぐに10個《こ》20個《こ》を挙げてくれますよ。

「笑顔なんてみんなできるでしょ」と思うかもしれません。でも、人前で自然な笑顔を作ることがむずかしいという人もいるのです。

自分にとっては当たり前なことも、他の人からするとすごいこと、自分にはできないと思わせることだったりするものです。

他人と比《くら》べられない、きみのいいところを知ることで、自分がどんな人間かがよくわかってくるはずです。

自分の良さがわかっている人は、だれかの基準《きじゅん》で自分を評価《ひょうか》しません。ひどいことを言われても、自分を責《せ》めたりしません。

そして、だれかが決めたものではなくて、自分にとっての「いい状態《じょうたい》」を見つけることができます。そして、それこそがきみだけの幸せなのです。

# 今の自分にとって大切なものは？

Ａくんは小学6年生の春、大好きなサッカークラブと1年後にせまる受験、どちらをとるか岐路に立たされていました。

大好きなサッカーを続けたい、でもサッカーが強い学校に入るために受験もしたいＡくん。両方あきらめたくない。とはいえ、土日祝日に練習や試合が入るサッカークラブと週4回の塾《じゅく》に通う受験勉強の両立はできません。

今、本当は勉強よりもサッカークラブを続けたい。でも、一時的にサッカーをがまんして受験をがんばれば、サッカーの強い中学に入って、よりよい環境《かんきょう》の中でサッカーができる未来が広がります。

どちらを選ぶべきか、Ａくんは悩《なや》みました。

もし、きみがＡくんだったら、どちらを選びますか？

目の前の幸せと未来の幸せ、どちらをとるでしょうか？

その後Aくんは、中学受験をしてほしいというお母さんの意向もあり、大好きなサッカークラブをやめて、受験に集中することにしました。

しかしAくんは、勉強に身が入らず、塾《じゅく》の成績《せいせき》は上がらないまま。とうとう「塾《じゅく》に行きたくない」と言うようになり、塾《じゅく》に行ってもただすわっているだけ、集中力も気力もない状態《じょうたい》になっていきました。

そんなAくんを心配したお母さんは、受験を断念《だんねん》することに。Aくんは、サッカークラブへもどり、元気を取りもどしていきました。

中学は仲間と一緒《いっしょ》に地元の中学へ。中学で思う存分《ぞんぶん》サッカーをしたAくんは、2年生になって、やはりサッカーの強い学校へ行きたいと決心し、中学受験で断《だん》念《ねん》した学校に高校から入ることを目指します。そして、猛勉強《もうべんきょう》の末、見事合格《ごうかく》を果たしました。

さあ、Aくんの結末を聞いて、何を思いましたか？

親はつい、「目先の楽しさだけ追いかけたら、将来《しょうらい》苦労する」「先のことを考えないで何になるの」と言ってしまいます。これは、子どもに苦労してほしくない、幸せになってほしい、そんな思いがあるからです。

しかし、その提案《ていあん》がきみにとってわくわくしないものだとしたら？ 見えない未来の安定を手に入れるために今を犠牲《ぎせい》にしても、その先により幸せな未来が待っているとは言い切れません。

もちろん、「こうしたい」という強い思いがあって、そのために今はがまんしたほうがいいと自分で思えたら、それもいいでしょう。

大切なのは、どこに幸せを感じるのか、自分の本当の気持ちを知ること。

サッカーを続ける幸せが、中学受験の先にある幸せよりも大きかったAくんにとっては、今の幸せを選ぶことがベストだったのです。

人は自分が納得《なっとく》して決められたら、必ずがんばることができます。逆《ぎゃく》に他の人が決めたことだと、その気持ちはなかなか続きません。

きみが今、心から楽しいと思うこと、がんばれることはなんですか？

それを自分に聞いてみてください。どうして好きなのか、なぜ続けたいのかも質問《しつもん》してみましょう。

今、自分が大切にしていることがわかっていれば、選択《せんたく》をせまられたときにも迷《まよ》うことはありません。

他のだれかではなくて、きみにとっての大切なもの。それを守るために選んだ道なら、幸せにつながっていくはずです。

# 幸せが見つかる4つのカギ

幸せとは何か、少しずつ見えてきましたか？

実は、この「幸せとは何か」という問いについては、世界中で研究されています。日本では「幸福学」という学問にもなっているのです。

幸福学では、「幸せは一人ひとり感じ方がちがうといえど共通点があるはずだ」という出発点から、何十年もかけ、たくさんの人を対象《たいしょう》にして、人がどういうことに幸せを感じるのか、共通する点を分析《ぶんせき》しています。

そしてわかったのが、人が幸せを感じるには4つの因子《いんし》が大切だということ。

4つの因子《いんし》がバランスよくそろったとき、人は幸せを感じるということです。

その4つとは、「やってみよう」「ありがとう」「なんとかなる」「ありのままに」。

この要素《ようそ》が自分の中にバランスよく存在《そんざい》することが幸せになる秘訣《ひけつ》です。

そして、きみだけの幸せ、つまりきみにとっての「いい状態《じょうたい》」をさぐる大きなヒントにもなります。

では、ひとつずつ紹介《しょうかい》しましょう。

## ❶やってみよう

「やってみよう」と思える心。がんばっている自分を認《みと》めたり、やりたいことや夢《ゆめ》を見つけたりすることで満たされます。

## ❷ありがとう

「ありがとう」と思える心。まわりに感謝《かんしゃ》したり、人を思いやったり、人とつながったりすることで満たされます。

## ❸ なんとかなる

「なんとかなる」と思える心。物事を楽観的にとらえたり、そのままの自分を受け入れたりすることで満たされます。

## ❹ ありのままに

「ありのままに」と思える心。他人の目を気にしないようにしたり、自分の軸《じく》をしっかり持ったりすることで満たされます。

実は、きみの中にはすでに4つの因子《いんし》が全部あります。何かあるとすぐ落ちこんでしまう人にも「なんとかなる」因子《いんし》はあるし、自分の意見が言えないという人も「ありのままに」因子《いんし》があるんですね。

ただ、大きく顔をのぞかせているか、奥《おく》に隠《かく》れているか、そのちがいがあって、隠《かく》れてしまっている因子《いんし》も、少し前にひっぱり出すこともできるんです。

ここからは、この4つの因子《いんし》をヒントにして、きみだけの幸せをさがしていきます。だれかに聞いたり、外にさがしにいったりするんじゃなくて、きみの中に見つけにいくんです。

いつだって答えはきみの中にあります。

では、一緒《いっしょ》に幸せさがしの旅に出ましょう。

# 「やってみよう」を 見つける

# 3

野球って
おもしろそう
ワー!!
ワー
カキーン!!
ワー
打った!
ホームラン!!
カキーン!!
プロ野球の
選手に
なりたいなぁ
本当に
なりたい
ですか?
ブンッ
うーん…
やっぱり
別のことが
いいなぁ

やりたいことは
ふだんの
生活の中に
隠《かく》れているのかも
しれませんね
にゃー
押し入れに
猫《ねこ》ちゃんが
隠《かく》れてたよ
ニャ〜
迷子《まいご》さがし!?

# 「やってみよう」は自分さがしの入り口

人はだれでも生まれながらに「やってみたい」という気持ちを持っています。知らないことを知りたい、やったことのないことにはチャレンジしたい、そんな希望を持って、わたしたちは生まれてきているのです。

食べてみたい、行ってみたい、見てみたい、着てみたい、習いたい……。「○○したい」はきみの日常《にちじょう》にもあふれているでしょう。

料理番組を見て「これ作ってみたい」とお菓子《かし》を作ってみたり、サッカーの試合を見て「サッカーしてみたい」とパス練習を週末に始めてみたり、「足が速くなりたい」とランニングを始めてみたり。

そんなふうにやりたいことにチャレンジし、わくわく行動しているとき、人は幸せを感じます。これが「やってみよう」因子《いんし》です。

「やりたい」から始めたことはがんばれるし、集中できるものです。もちろんチャレンジの途中《とちゅう》にはくやしい、悲しい体験もするでしょう。それでもわくわくが根底にあるからこそ、目標達成までがんばりきれるのです。

チャレンジ&達成という成功体験を積んでいくと、自分が成長しているのを感じられるようになります。

成功体験によって、次はこの料理、次はドリブル練習、次は長い距離《きょり》のランニングと、さらにもうひとつ上のチャレンジへの意欲《いよく》がわいてくるのです。

やりたい↓やってみる（自己実現《じこじつげん》）↓成功（成長）↓次のチャレンジ

そんなサイクルがきみの中で回り出します。

「やりたい」から動き出すサイクルの中に身を置くと、「わたしってこんなに力を発揮《はっき》できるんだ」、そんなふうに、まだ見ぬ自分に出会うことができますよ。

# 日常《にちじょう》に隠《かく》れている夢《ゆめ》の種

「将来《しょうらい》の夢《ゆめ》は？」と聞かれたら、なんて答えますか？　サッカー選手、医師《いし》、看《かん》護師《ごし》、ユーチューバー、プロゲーマーなど、選択肢《せんたくし》はたくさんありますね。

２０２３年の小学生のなりたい職業《しょくぎょう》ランキングは次のとおりでした（「進研ゼミ小学講座《こうざ》」調べ）。

**1位　ユーチューバー**
**2位　芸能人《げいのうじん》**
**3位　漫画家《まんがか》・イラストレーター・アニメーター**
**4位　パティシエ・パティシエール**

5位　保育士《ほいくし》・幼稚園《ようちえん》の先生
6位　学校の先生
7位　医師《いし》
8位　作家・小説家・ライター
9位　動物園や水族館の飼育員《しいくいん》
10位　ゲームクリエイター

毎年発表されるこのランキングは、今の子どもたちが何に興味《きょうみ》を示《しめ》しているのか、時代が反映《はんえい》されていておもしろいなとながめています。

ただ一方で、みんながみんな「これになりたい！」というはっきりとした形の夢《ゆめ》があるのだろうかという疑問《ぎもん》がわきます。

本当はまだ夢《ゆめ》が決められないけれど、何かしら答えなきゃと思って答えている子もいるんじゃないか、そんなふうに思えてくるのです。「まだ夢《ゆめ》は見つかりません」と答えてもいいはずなのに、それが言いにくい。

そんな、「夢《ゆめ》はあって当たり前」という思いこみがあるかもしれません。

もしきみが夢《ゆめ》を聞かれて答えられなかったとしても、「夢《ゆめ》がないなんてはずかしい」「やりたいことがなくてつまらないヤツ」と自分にレッテルをはらないようにしてください。「夢《ゆめ》を見つけなければ！」とあせる必要もありません。

夢《ゆめ》はまだ見つからなくてもいいんです。

まわりに合わせて言ってみたり、親が喜《よろこ》ぶ職業《しょくぎょう》を答えてみたり、そんなふうに決めてしまわないでくださいね。

それよりも「まだ見つけられていない」という自分を知ることのほうが、はるかに大切です。

夢《ゆめ》が見つからないという状態《じょうたい》は、きみの可能性《かのうせい》が無限《むげん》に広がっているということです。「これ！」と決めてつき進むのもいいですし、「どれにしようかな」とたくさん寄《よ》り道をするのも楽しいですよね。

「まだ夢《ゆめ》が見つかっていない今の自分は、なんにでもなれるんだ」、そんなふうに考えて、さがし途中《とちゅう》の時間を楽しみましょう。

ただその中で、「これはおもしろいかも？」「もっとやってみようかな」と興味《きょうみ》を持ったことがあれば、ぜひチャレンジしてみてください。

お菓子《かし》作りが好きになったKちゃんは、放課後、ネットでかんたんなお菓子《かし》の作り方を調べて2つも3つも作っています。

そんなKちゃんの夢《ゆめ》はパティシエかと思いきや、選択肢《せんたくし》はたくさんあります。お菓子《かし》教室の先生、食品会社で商品開発、子どもに毎日手作りお菓子《かし》を作ってあげるお母さん。「お菓子《かし》作り」から考えただけでも、こんなに選択肢《せんたくし》があるんです。

わくわくすることの中に、きみの夢《ゆめ》の種があります。

夢《ゆめ》の種は、特別な体験の中にしかないと思うかもしれませんが、実は日常《にちじょう》の中にちりばめられているものです。

最近、心から楽しいと思えたことはありますか？
時間が経《た》つのをわすれるくらい、集中したことはありますか？

夢中《むちゅう》になれることをしているとき、きみは息をすうくらい自然に、楽しみながら自分の能力《のうりょく》を発揮《はっき》しています。小さな、なんでもないことでも、そこから将来《しょうらい》の夢《ゆめ》をいくらでも見出《みいだ》していくことができるのです。

夢《ゆめ》はひとつだけという決まりはどこにもありませんから、すでに夢《ゆめ》が決まっているという人も、日常《にちじょう》のわくわくを見のがさないようにしてみてください。

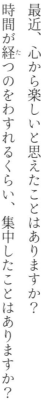

# 夢《ゆめ》は「職業《しょくぎょう》」じゃなくていい

ところで、夢《ゆめ》を聞かれたときに、「職業《しょくぎょう》」で答えようとしていませんか？

夢《ゆめ》ランキングなどを見ていて思うのは、夢《ゆめ》は職業《しょくぎょう》で答えないといけないと思っている人が多いということです。

これは、「何になりたい？」「なんの仕事がしたい？」と、職業《しょくぎょう》を答えるような聞き方が当たり前になっているからかもしれませんね。

本来、夢《ゆめ》というのは「こうなったらいいな」と情景《じょうけい》を思いえがくものです。つまり、自分がどんな状態《じょうたい》でいたいかを考えることなのです。

プロ野球選手、医者、弁護士《べんごし》といった職業《しょくぎょう》や、社長、部長、課長、マネージャーのような役職《やくしょく》や役割《やくわり》など、特定のものにする必要はありません。

**人を楽しませる研究をしたい**
**みんなを笑顔にする人でいたい**
**心おだやかにすごしたい**
**大好きな仲間と一緒《いっしょ》に仕事をしたい**

そんなふうに、きみが心地よいと感じる「状態《じょうたい》」を、夢《ゆめ》として語っていいのです。

もしきみが医者になりたいのなら、「医者になる」で終わらせずに、「医者になってどんな気持ちになりたい？」「どんな人がまわりにいる？」と、夢《ゆめ》をかなえた後に、どんな状態《じょうたい》になっているか、どんな気持ちでいるかまで広げて夢《ゆめ》を考えてみましょう。

**退院《たいいん》する患者《かんじゃ》さんにありがとうと言われてうれし涙《なみだ》を流している**
**医者や看護師《かんごし》チームで一丸となって人を救《すく》う力強さを感じている**
**元気になった患者《かんじゃ》さんとその家族の笑顔に囲《かこ》まれている**

感情《かんじょう》をプラスして考えると、職業《しょくぎょう》で答えるよりも広い視野《しや》で、はっきりと未来を想像《そうぞう》できるのではないでしょうか。

もしかしたらきみの思いえがく未来は、今ある職業《しょくぎょう》でかなえることはむずかしいものなのかもしれません。それなら自分のえがく夢《ゆめ》をかなえるために、きみは新しい仕事を生み出す人になるのかもしれませんね。

今存在《そんざい》している職業《しょくぎょう》に自分を当てはめていくのではなく、どんな状態《じょうたい》になりたいのか、より自由に、楽しく、夢《ゆめ》をえがいてみてください。

# きみの夢《ゆめ》(なりたい状態《じょうたい》)をさがそう

未来に、こうなっていてほしいなと思うことを
想像《そうぞう》して、書いてみよう

## 将来どんなことをしていたい?

たとえば
- だれかを楽しませる仕事
- 家族と楽しくくらすこと
- すごい発明

きみは?

↓

## それをして、どんな気持ちでいたい?

たとえば
- わくわくして楽しい気持ち
- 温かくて、安心する気持ち
- 熱く、燃《も》えるような気持ち

きみは?

↓

## 周《まわ》りにはどんな人《ひと》がいてほしいかな?

たとえば
- おもしろい友達
- よく笑う家族
- かっこいいライバル

きみは?

## 見つけたもの

書いたことすべてをかなえられそうなことが、
今のきみの夢《ゆめ》（なりたい状態《じょうたい》）だよ。

# それは自分がやりたいこと？

実は、大人になってからも「やりたいことが見つからない」人はたくさんいます。大人になれば自然とやりたいことが見つかるわけではないんですね。

では、見つけられる人と見つけられない人は何がちがうのでしょう？

それは、常《つね》に「本当にわくわくしてる？」と自分に問いかけているかどうかです。

これは、「楽しいことだけやろう」という話ではありません。

自分で選べる行動の中に、本当はやりたくないけどやってしまっていることがないかをさがすということです。

**みんなが行っているからと習い始めた水泳**
**親のすすめで通っているピアノ教室**
**一緒《いっしょ》に遊ぼうとさそわれたから参加したドッジボール**
**クラスで流行《はや》っているから始めたゲーム**

そんなふうに、まずは習い事や部活動、日々の行動を思いうかべて、「それをしているとき、わくわくしてる?」と心に問いかけてみてください。

「友達がしているから」となんとなく始めたことや、「親がすすめるから」と連れていかれたことも、始めてみたら楽しくて、わくわくして続けられているなら、それはちゃんときみのやりたいことになっています。

逆《ぎゃく》に、自分がしたくて始めてみたけど、もうわくわくしていないことは、やりたいことではなくなっていますよね。気持ちが変わるのもよくあることです。

何かをするとき、選ぶとき、自分の本当の気持ちを確認《かくにん》してみましょう。友達と遊ぶ、そんな日常《にちじょう》の小さな行動においても「わくわくしてる？」と問いかけて、行きたくて行くのか、本当は家にいたい気分だけどさそわれたから行くのか、本音を引き出してみてください。

どんなに小さな行動でも、わくわくを基準《きじゅん》に選ぶ習慣《しゅうかん》が身についたら、やりたいことを見つけることもぐっとかんたんになります。

そうして自分のやりたいことを見つけられるようになったら、次に「それって、だれかのためにもなる？」と考えてみましょう。

**大好きなテニスをがんばっていると、強くなる自分を見て家族が感動する**
**ピアノをひくことが好きで、自分の音楽を聴《き》く人も幸せな気持ちになれる**
**たくさんの本を読んで、家族や友達にすすめたら喜《よろこ》んでくれる**

こうやって自分のためにも、だれかのためにもなっていることは、仕事につながる可能性《かのうせい》が高いものなんです。

まずは、自分がわくわくすることを、ひとつだけではなくたくさん見つけていくこと。そして、その中のひとつでもいいので、だれかにとってのわくわくになっているかを考えていきましょう。

きみのわくわくすることが、だれかのわくわくになったとき、それはきみが一生をかけて楽しみ続けていける仕事となるかもしれません。

# わくわくは待っていてもふってこない

「わくわくすること」といっても、あまりピンとこない人もいるかもしれませんね。

何が好きで、どんなことをしたらわくわくするのかは、考える機会がなければ、気づくことがあまりないかもしれません。気づいていないから、いざ聞かれたときに考えこんでしまうのです。

だれにでも、わくわくしてしかたないことが必ず見つかります。ただし、家の中でじっとして、「わくわくすること、見つかれ!」と思っていても、見つかる可《か》能性《のうせい》はゼロです。

ある日突然《とつぜん》、「これだ!」とひらめくということは、おそらくないでしょう。

好きなことを見つけるには、まずは動いてみること。

そして大事なポイントは「いつもとちがうことをする」ことです。

たとえば、地域《ちいき》で開催《かいさい》される市民オーケストラのコンサートやバイオリニストの演奏会《えんそうかい》、落語、舞台《ぶたい》など、文化的なイベントに参加するのも、好きなことさがしに役立ちます。

そんなものあったかな？　という人もいるかもしれませんが、意識《いしき》してみるときっと見つかると思いますよ。


ある男の子は、学校で配られたチラシを見て、プロの演出家《えんしゅつか》とピアニストが指《し》導《どう》する演劇《えんげき》ワークショップに思い切って参加しました。

毎回3時間をこえる練習を全10回休まず参加することが条件《じょうけん》だったため、親はやり切れるのか心配しましたが、初回の練習から最後まで、3時間があっという間に感じるほどのはまりっぷり。かれは表現《ひょうげん》するおもしろさを知り、演出家《えんしゅつか》になりたいという夢《ゆめ》を持つようになったそうです。

はじめてのことに参加してみるときには、不安もあるでしょう。でも一歩ふみ出してみると、そこには想像《そうぞう》もできない楽しさが待ち受けています。

勇気を出してやってみることが未知の楽しさをもたらすと知ったかれは、その後さまざまなことに参加して、なんでも試してみるようになりました。

わくわくを見つける方法は、イベントやワークショップに参加することだけではありません。

いつもとはちがう公園で遊んでみる、いつもとはちがうメンバーで遊んでみるなど、身近なところで「いつもとちがうこと」をしてみてください。きっと新鮮《しんせん》な楽しさがありますよ。

ルーティンを少し外れてみると、思いもしないわくわくに出合えるのです。

# 目標を立てると自信がつく

お正月や1学期の始まりに、その年の目標や1学期の目標などを書くことがありますよね。

今年の目標は立てましたか？　どんな目標を立てたのか、すっかりわすれてしまったという人もいるかもしれませんね。

目標を書き出すことには、大切な意味が2つあります。

ひとつは、迷《まよ》いがへること。ナビに目的地を入れるとルートが提示《ていじ》されるように、目的地を設定《せってい》してはじめて、自分の進むべき道が見えてきます。

もうひとつは、やる気が出ること。自分の進むべき道が見えると、やるべきことがわかって行動しやすくなります。

人生の舵《かじ》取りを自分でできることが、幸せな人生の歩み方です。どんな道を歩んでも、自分で決めた道ならそれでいいのです。

しかし、ゴールを設定《せってい》しなければ、歩む道も見えてきません。どこに向かって、なんのために進んでいるのかわからない状態《じょうたい》は、不安にもなりますよね。

自分で自分の人生の舵《かじ》をとるために、目標を考えてみましょう。

ポイントは2つの目標を立てること。

「こんなのかなえられるわけない！」とつっこまれるような大きな目標と、コツコツ実践《じっせん》すれば確実《かくじつ》にかなえていける小さな目標の2つを立ててみてください。

たとえば大きな目標は、このくらい大きなものでも大丈夫《だいじょうぶ》です。

**ワールドカップに出場できるサッカー選手になる**
**最年少でノーベル平和賞《へいわしょう》を受賞《じゅしょう》する**
**自分の描《か》いたマンガがアニメ化される**

「100%無理でしょ」と言われてもいいんです。それくらい大きな目標を立てて、自分の可能性《かのうせい》を自分で広げることが大切です。理想の人物を取り上げるのもいいのですが、人を目標にするとそこをこえられなくなるので要注意。自分をもおどろかすくらい、ものすごく大きな目標にしてください。

そして、大きな目標をかなえるために必要なのが、小さな目標です。目標をかなえるために必要なのが、自分にはできるという自信。大きな目標を達成するためには、それだけ強く信じる気持ちが必要です。そしてその自信をつける方法は、成功体験を積むこと。

まずは小さな目標を立てて、成功体験をたくさん積みましょう。そうして、いくつもの自信を積み重ねることが大きな目標への道を作るのです。

今年1年や今学期、できれば今月や今週、今日など短期間の目標を立ててみましょう。きっと短期間の目標は、自然と毎日無理なくできるものがうかび上がってくるはずです。

**夜9時に寝《ね》て、朝6時半に起きる**
**遊ぶ前に宿題をする**
**寝《ね》る前に明日の持ち物をチェック**
**1週間に本を1冊《さつ》読む**

大きな目標とはちがって「そんなこと⁉」とおどろかれるくらい、人から見たらかんたんな目標でいいんです。むしろそのほうがいいです。だって、めんどうくさいことは続きませんから。

今はつながって見えていなくても、努力というものは意外なところでつながっていくものです。

だれもが知っているファストフード、ケンタッキーフライドチキンの創設者《そうせつしゃ》、カーネル・サンダースはなんと65歳《さい》で、フライドチキンの事業を始めました。

フライドチキンのレシピを売りこもうと1軒《けん》1軒《けん》レストランをたずね、断《ことわ》られた数は1009回。それでもあきらめることなく、1店舗《てんぽ》、2店舗《てんぽ》と丁寧《ていねい》にレシピを広げ、70歳《さい》のときにはケンタッキーフライドチキンのチェーン店がアメリカとカナダで400店舗《てんぽ》まで拡大《かくだい》したのです。

「今からじゃ無理でしょう」「フライドチキンのレシピだけで事業するなんてできない」、そんな声は山のようにあったはずです。

しかし、カーネルは「人は『できる』とか『したい』と思う分だけ実現《じつげん》できるものだ」という言葉を胸《むね》に、1軒《けん》ずつレシピを伝授《でんじゅ》するという、小さな目標を達成し続けました。

その結果、現在《げんざい》は日本をふくめて145カ国以上の国と地域《ちいき》に展開《てんかい》され、当初はだれも想像《そうぞう》することができなかった、巨大《きょだい》な目標をかなえたのです。

# 大人になったらなんでもできる？

やりたいことを思いうかべるとき、つい「大人になったら～」と考えていませんか？

そんなふうに、きみが「こんなことをしてみたい」と思うことの中には、「子どもだからできない」と制限《せいげん》をかけていることがあるでしょう。たしかに、学校もあるし、自由に使えるお金は限《かぎ》られているし、勝手に遠くに行くこともできないですよね。

「子どもって不便！」「大人はいいいな。好きなことができて」きみがそう思うのもごもっとも。

では今から、「子どもだからできない」という制限《せいげん》がいっさいなくなったとしましょう。

そのとき、きみが「やってみたい！」と思うことはなんでしょうか？

これまでテレビ番組を見て思った、「いつか食べてみたい」「いつか行ってみたい」の「いつか」をとりはらって、自由に思いえがいてみてください。

**無人島に行ってサバイバルしてみたい**
**畑で育てた野菜で料理してみたい**
**海外に行って外国の人と話してみたい**
**ユーチューバーみたいに爆買《ばくが》いしてみたい**
**ホールケーキをひとりで丸ごと食べたい**

その調子です。どんどん出てきそうですね。
あれもこれも書き出してみると、わくわくしてきませんか？
「でも、これって結局できないでしょ」

いいえ、実はきみが「やりたいけど、できない」と思ってきたことは、ほとんどできるんです。

その方法は、大人のやり方から、子どものやり方に変換《へんかん》して実行すること。「今はできない」をやめて「今できる方法」をさがすことです。これは、夢《ゆめ》をかなえる人がしている思考パターンです。

たとえば、こんなふうに。

無人島には行けないけど、キャンプに連れていってもらって火起こし体験

畑を借りずに、庭やプランターで野菜を育てて、料理する

日本の中で、店員が外国人のお店に入って英語で注文

お小遣《こづか》いを貯《た》めて、お菓子《かし》を爆買《ばくが》い

お店で買わず、自分でケーキを作って丸ごと食べちゃう

そう考えていくと、無理だと思っていたことも意外とできちゃうと思えませんか?

「今はできない」

実はこれ、大人になってからもたくさんの人が持っている制限《せいげん》です。

大人になったら、「制限《せいげん》なんてないでしょ」「なんでもできるでしょ」って思いますよね。ところが実際《じっさい》には、お金がないから、時間がないから、家事をしないといけないから、とできない理由を見つけては、しない方向に自分を持っていく人が多いのです。

「今はできない」「いつかしよう」と子どものうちから思い続けてしまうと、できる方法より、できない理由を見つけることばかり上手になってしまいます。制限《せいげん》を自分で作ってしまっていては、いつになってもやりたいことはできないし、夢《ゆめ》はかないません。そこに親やまわりの反対など、外からの制限《せいげん》がかかれば、なおさらです。

大人になったらなんでもできると思っていたのに、大人になったそのときも「いつかしたい」と言っているなんて。そんな未来、いやですよね。

夢《ゆめ》をかなえるためには、どんなに制限《せいげん》があると思えることでも、「できる方法はないか？」と考えることです。

そのために今から、「やってみたい」と思ったら自分にできる方法をさがす、そのくせをつけていってもらいたいのです。

やりたいことは全部できる。まずは自分でそう思ってみましょう。

そして、どんな制限《せいげん》があったとしても、今できることに変換《へんかん》してやってみること。そのスキルをみがき続けていったきみは、いつか本当の夢《ゆめ》をかなえる人になっていますよ。

# きみのやりたいことをさがそう

「絶対《ぜったい》できない」という気持ちを外して、
きみのやってみたいことを書いてみよう

## なんでもできたら、やってみたいことは？

たとえば
- 世界を一周する
- ライブに行く
- 雑誌《ざっし》を作る

きみは？

## なぜ今はできないと思う？

たとえば
- 危険《きけん》だから
- 親が反対するから
- まだ働けないから

きみは？

## 実現するにはどんな方法がある？

たとえば
- Googleマップで世界旅行
- 部屋を暗くしてDVDを見る
- 手作り雑誌《ざっし》を配る

きみは？

## 見つけたもの

きみがやりたいけどあきらめていたこと、
すべて実現《じつげん》できる、きみのやりたいことだよ。

# 4

# 「ありがとう」を伝える

ザーーッ
わ〜ふってきた!
あそこで雨やどりしましょう!
雨、やまないねー
ちょっと見てきましょうか
このまま
ぼくがいなくなったらどうしますか?

さみしいなぁ…
いますけどね
ありがとう
やっとやんだ
ありがたいですね

# 「ありがとう」で人とつながる

人とのつながりを感じることはありますか？

日常《にちじょう》の中で感じる機会はなかなかないかもしれませんね。意識《いしき》することがなかったとしても、わたしたちは生まれてから死ぬまで、常《つね》に人とつながりながら生きています。

つながりはきみを中心にして、あみの目のように広がっています。お母さん、お父さん、兄弟、おばあちゃん、おじいちゃん、学校の友達、先生。きみが大切にしている人たちとは、もちろん強いつながりがあります。

それに、近所の人、いつも行くスーパーやコンビニの店員さん、図書館の司書さん、塾《じゅく》の先生、荷物の配達員さんなど、きみの生活の場を作ってくれている人たちとも、きみはつながっています。

きみが食べているお米や野菜を作っている農家さん、飲んでいる牛乳《ぎゅうにゅう》を生産する酪農家《らくのうか》さん、着ている洋服を作っている人、住んでいる家を建ててくれた人など、直接《ちょくせつ》関わっていない人ともつながっているといえるでしょう。そのつながりはどこまでも続いているといっても過言《かごん》ではありません。

こうして考えていくと、わたしたちは数えきれないほどの人とのつながりの中で生きているのだと実感できるのではないでしょうか。

人はつながりを感じると幸せになります。

**今日あったことをお母さんに話したら、うれしそうに聞いてくれた**
**テストの答案に「おしい！」「がんばってる！」と先生がコメントしてくれた**
**登校中に犬の散歩中のおじさんが「いってらっしゃい」と声をかけてくれた**

そんなとき、うれしくなったり、ホッとしたり、元気になったり。ポジティブな気持ちがわいてくるものです。ぼくには、わたしには、話を聞いてくれる親がいる、理解《りかい》してくれる先生がいる、応援《おうえん》してくれる人がいる。「幸せだな」と感じるとき、そこには人とのつながりがあるのです。

これが「ありがとう」因子《いんし》です。

わたしたちは、日常《にちじょう》のいたるところにつながりを見つけることができます。自分の1日をふり返ってみると、こんなにたくさんの人に囲《かこ》まれているんだと、気づくことができるでしょう。

「当たり前」になってしまっている景色の中にも、きみが人とつながっている「奇跡《きせき》」があふれているんですね。

# きみの大切なつながりをさがそう

きみのまわりにいる大切な人を思いうかべて、
思いつくかぎり書いてみよう。

## きみのまわりにはどんな人たちがいる?

たとえば
- 家族
- 学校の友達、塾の友達、ネットの友達
- 学校の先生、近所の人

きみは?

## その中で、これからも一緒《いっしょ》にいたい人は?

たとえば
- 家族全員
- けいくん、さきちゃん
- 山田先生

きみは?

## どうしてその人たちと一緒《いっしょ》にいたい?

たとえば
- ホッと安心するから
- 何でも話せるし、楽しいから
- やる気が出てがんばれるから

きみは?

## 見つけたもの

今のきみにとって大切な人たちと、
どんな人と一緒《いっしょ》にいたいかがわかったよ。

# 日常《にちじょう》にあふれている「ありがたい」こと

人は感謝《かんしゃ》すると幸せになります。

では、日常《にちじょう》の中に感謝《かんしゃ》を10個《こ》見つけてみましょう！

といっても、すらすらとは出てこないかもしれませんね。

感謝《かんしゃ》の種を見つけにくくさせているのは、「当たり前」という感覚です。

たしかに、毎日の生活に特別感はありませんよね。

でもそれは本当に、当たり前なのでしょうか？

朝ごはんが毎日食べられること、ざぶざぶ水を使っておふろに入れること、学校に通えること、それらはすべて当たり前ですか？

ここで一度、「そうじゃない」世界を想像《そうぞう》してみてください。

たとえば、ちがう国に生まれていたら。

治安がいいとはいえない南米の国では、学校へは親が車で送りむかえするのが当たり前。放課後に友達の家に行きたいときにも、親が送りむかえをするそうです。子どもがひとりで外を出歩くなんてありえない世界。きっと友達と一緒《いっしょ》におしゃべりしながら登下校することも、あまりできないのかもしれません。

日本では当たり前の学校生活。友達と一緒《いっしょ》に登下校したり、寄《よ》り道したり、放課後には広場で友達とサッカー、コンビニで買い食い。こうした体験が他の国では当たり前でなくなるかもしれないのです。


わたしたちが当たり前に体験している日常《にちじょう》も、それができない環境《かんきょう》にいる人にとってはありがたいこと。そう思うと、安全な街に住めること、自由に外に行けること、友達と夕方まで外で遊べること、すべてにうれしい、最高と、感謝《かんしゃ》を感じられるのです。

当たり前だと思っていたら、感謝《かんしゃ》できないですよね。なくしてはじめてありがたさに気づいて、きっと後悔《こうかい》もするでしょう。だからこそ、今あるうちから感謝《かんしゃ》することが大切です。

そのためには、当たり前をなくしてみることです。

当たり前のフィルターを外してみると、今あるすべてが感謝《かんしゃ》の対象《たいしょう》になります。親が生きていてくれること、毎日ごはんが食べられること、友達がいること、勉強ができること、放課後に友達と遊べること、おふろに毎日入れること、安心して布団《ふとん》でねむれること。きみの毎日はありがたいことばかりです。

当たり前だと思っていた日々の中に感謝《かんしゃ》の種を見つけていくたび、きみの幸せが高まっていきます。ひとつ見つかればまたひとつと、どんどん見つけやすくなっていきますよ。

ぜひ、毎日ひとつ、「うれしいな」「ありがたいな」と思うことを見つけてみてください。

# 日《にち》常《じょう》にある感《かん》謝《しゃ》をさがそう

日々の出来事を思い出して、「うれしいな」
「ありがたいな」と思うことを書いてみよう。

## 今日の出来事をふり返ってみよう

たとえば
- 朝ごはんにパンを食べた
- 放課後、友達と遊んだ
- 昼休みに本を読んだ

きみは？

## その中で「当たり前じゃないかも？」と思うことは？

たとえば
- 朝ごはんを食べられること
- 一緒《いっしょ》に遊べる友達がいること
- おもしろい本が読めること

きみは？

## どんなことに「ありがとう」と感じた？

たとえば
- 毎朝ごはんを作ってくれること
- いつも一緒《いっしょ》に遊んでくれること
- 本を買ってもらえること

きみは？

## 見つけたもの

毎日に隠《かく》れている、当たり前じゃないこと、
きみがだれかに「ありがとう」と伝えたいことだよ。

# お金と時間を人のために使う

「こんなにカードを買って、むだ遣《づか》いするならお小遣《こづか》いあげないからね」

「動画ばかり見て、ダラダラとむだな時間を使うんじゃないの」

なんて叱《しか》られたこと、だれでも一度はあるのではないでしょうか。


そんなふうに大人が怒《おこ》るのは、お金と時間が大切だと実感しているから。

大人になって自分でお金をかせげるようになったら、なんでも好きなものを買えるし、もうやめなさいなんて言われずに好きなように時間を使えると思うかもしれませんね。


たしかに大人になると、お金と時間の使い方や使う量を自分で決める自由を得《え》られます。しかし同時に、お金も時間も無限《むげん》にあるわけではないことを知るのです。

仕事をしてもらえるお金を、生活、貯金《ちょきん》、遊びなど、どうやって分けて使うのか。起きている時間の大半を仕事に使う中で、睡眠《すいみん》、食事、休息、勉強、家族との時間など、24時間をどうやって使うか……。

限《かぎ》りある中で使い方を迷《まよ》いながら、お金と時間の価値《かち》を見出《みいだ》していくのです。

ちなみに今、きみはどんなことにお金や時間を使っていますか？

大人になったら、自分のお金や時間をどう使いたいでしょうか？

お金も時間もきみが幸せになるために使われてこそ、価値《かち》があります。むだ遣《づか》いしてしまった経験《けいけん》から、よい使い方を覚えていくこともありますが、実は今から実践《じっせん》できる、お金と時間の幸せな使い方があります。

1つ目は、人のために使うこと。

カードを買うときやガチャガチャをするときも、もちろん楽しい気持ちになります。でも、そのときの楽しい、うれしいは一瞬《いっしゅん》だけの喜《よろこ》び。またすぐにちがうものがほしくなるし、目当てのものが出るまでもっともっと回数をこなしたくなり、多くの時間を費《つい》やすことにもなります。自分だけのための喜《よろこ》びは、長続きしないものなのです。買った後にすぐ気持ちがさめること、ありませんか？

対して、だれかのために使うと、楽しい、うれしい気持ちは長く続きます。

たとえば、友達の誕生日《たんじょうび》にプレゼントをあげようと、買い物に出かけます。何をあげようかとさがしながら、「喜《よろこ》んでくれるかな」と想像《そうぞう》する。そんな時間すべてがわくわくであふれていますよね。あげたら喜《よろこ》ぶだろうなと思って使うお金は、特別な価値《かち》があるように感じるでしょう。

使ったお金も費《つい》やした時間もすべてがきみを幸せにしてくれます。プレゼントをわたすときや、その日のことを思い出すときまで、幸せは長く続きます。

2つ目は、だれかと使うこと。

ただアイスを買って食べるのもいいのですが、もし友達と一緒《いっしょ》に食べたとしたら、幸せが倍増《ばいぞう》します。楽しい、うれしい、そんな気持ちをだれかと共有できるとき、人はより幸せを感じるのです。

それに、次にその人に会ったとき、「この間は楽しかったな」と思い出してまた幸せな気持ちになれます。時間とお金はだれかと一緒《いっしょ》に使えたとき、長く続く幸せをあたえてくれるのです。

人が死ぬときに持っていけるのは、ものではなく、この世界で体験した思い出です。

お金と時間は、この世界で幸せな体験をするために、わたしたちにあたえられたチケットなのです。むだ遣《づか》いしていてはもったいないですよね。幸せな経験《けいけん》に変わる使い方をしていきましょう。

# きらいな人はいてもいい？

○○ちゃんのことをどうしても好きになれない。正直言うと、ちょっときらい。でも、他の子は○○ちゃんと楽しそうに話しているよね。ああ、人をきらいになるなんて、わたしのほうがいやなヤツなのかも。

そんなふうにだれかを苦手だと思うことって、ありますよね。今はいなくても、生きていくうちにそんな人に出会うことがあるかもしれません。

もしだれかのことをきらいだと思ったら、きみはどうしますか？

人をきらいになるのはよくないことだと、きらいな気持ちをおさえこむかもしれません。

「みんなにはいい子って言われてるから」と友達に合わせようとするかもしれま

せん。

でも、きらいな気持ちがきえなくて、イライラしてしまうこともあるでしょう。きらいな気持ちのあつかい方って、とてもむずかしいものなんです。

もし、きみがだれかのことをきらいだと感じたら、まずはその気持ちをそのまま受け止めてください。

「わたし、あの子のことがきらい」、そう思ってもいいんです。

「好き」という気持ちが自然とわいてくるのと同様に、きらいという気持ちが芽生えるのはごく自然なこと。

きらいな気持ちもきみの大切な感情《かんじょう》です。

大切なのは、きらいを認《みと》めたその後に、「なぜきらいなのか」と理由をさがしてみることです。

「わたしが話しているといつも話題をとってしまうから」
「いつもからかってくるから」
「仲間外れにされたから」

そんなふうに理由を見つけられたら、もう一息です。きらいになった理由のその下にある、きみの本当の気持ちをすくいあげてみてください。きらいの感情《かんじょう》の下には、きみの本心が隠《かく》れています。

きらいの理由をたどりながら、奥底《おくそこ》に隠《かく》れた本心をさがしてみましょう。

「会話を横取りされて、ないがしろにされた気がして悲しかった」
「からかわれてむかついた、はずかしかった」
「ひとりぼっちにされて、さみしかった」

そんな気持ちが出てきたら、

「わたし、すごく悲しかったんだ」

と、自分の気持ちをしっかりと、静かに受け止めてあげましょう。

きらいの下にある本当の気持ちを、自分自身がきちんと知ってあげると、心は自然と落ち着いていきます。もちろんきらいな気持ちを認《みと》めたからといって、すぐその気持ちがなくなるわけではありません。

心のザワザワを落ち着かせるためには、もうひとつ方法があります。

それは「きらいな気持ちを放置する」ことです。

きらいな気持ちが自分にあることはちゃんと知ったうえで、あえて放っておくということ。きらいな気持ちについて深く考えないようにするのです。

そうしてしばらく放置してから、ふとふり返ってみます。すると、きらいという感情《かんじょう》が少し落ち着いてきているのに気づくでしょう。

そして、相手のことを冷静に見られるようになっています。

「あいつなんて大きらい」「むかつく」と荒《あ》れくるっていた感情《かんじょう》の波がひいてくると、心は平安を取りもどし、相手のことを冷静に観察できるゆとりが生まれるのです。

**「あの子も、ストレスがたまっていたのかな」**
**「わたしにいじわるして、ストレス発散したかったのかな」**
**「自信がなくて、マウントをとりたかったのかもな」**

出来事をうんと高い地点からながめ、相手を思いやる視点《してん》は、もはや神の視点《してん》です。その地点にたどり着くには、時間がかかってもしかたないことなのです。

「人間だもの、人をきらいになることもあるさ」と軽く受け入れて、その下に隠《かく》れた気持ちを見つけてあげたら、あとは横に置いておく。きらいな気持ちが生まれたら、そんなふうに取りあつかってあげましょう。

# 安心して一緒《いっしょ》にいられるのはどんな人？

小学生に「親友の数」を聞いたアンケートでは、3～5人と答えた人が一番多かったそうです（内閣府《ないかくふ》「第4回 非行原因《ひこうげんいん》に関する総合的《そうごうてき》研究調査《ちょうさ》」）。

この結果をどう思いますか？「少ない」とおどろきますか、それとも「それだけいたら十分！」と思うでしょうか。

「友達」の定義《ていぎ》をどう設定《せってい》するのか、人によってちがうと思います。あいさつをするだけでも友達だから20人以上いると考える人もいるでしょう。毎日話したり、一緒《いっしょ》に帰ったり、放課後も遊ぶ人を友達というのなら、3人いれば多いくらいかもしれません。

ある研究によると、「いろいろな人と関わったほうが幸せを感じる」ことがわかっています。そこだけ切り取ると、友達の数は多いほうがいいと言っているように思えますが、どんな人とでもつながって友達になることが幸せなのではありません。

幸せになる人間関係において最も大切なのは「こまったときに相談できる、頼《たよ》れる」関係であること。人数が多いか少ないかよりも、ひとりでも本当に頼《たよ》れる友達がいることが大切なのです。

では、頼《たよ》れる友達とはどんな人なのでしょう。

それは、悲しいことがあったときやつらくなったときに、「実はさ」「あのさ」と話ができる、そして一緒《いっしょ》に何かできることを考えてくれる、そんな友達。一緒《いっしょ》にいて、きみがかっこつけたり、がまんしたりすることなく、自分らしくいられる友達です。

自分の気持ちをさらけ出すことは勇気がいることですから、本当に頼《たよ》れる友達はそもそも、たくさん作れるものではないのかもしれません。

冗談《じょうだん》を言い合って、笑えて楽しい、でもそれだけの付き合いという友達が何十人いるよりも、たったひとりでもいい、心をひらける友達がいることのほうが幸せをもたらしてくれるでしょう。

今、だれかの顔がうかんでいますか？

もし、うかんでいなくても大丈夫《だいじょうぶ》。
きみはこの先、心から信頼《しんらい》できる友達と出会えます。そして、きみ自身もまただれかにとっての頼《たよ》れる友達となるでしょう。

# 今より大切な場所に必ず出合える

学校のクラス、部活、仲良しの友達、習い事、家族。どれもがきみの大切な「居《い》場《ば》所《しょ》」です。友達と一緒《いっしょ》にすごすと楽しくてたまらない、家族といるとホッとして休むことができる、仲間と切磋《せっさ》琢磨《たくま》し合える。そんなふうに、かけがえのない居《い》場《ば》所《しょ》にきみはいると思います。

しかし、人が集まるといろいろなことが起こります。時には、友達とけんかしたり、心ない言葉を言われて傷《きず》ついたりすることもあるでしょう。親から価値観《かちかん》をおしつけられたり、おたがいに感情《かんじょう》を爆発《ばくはつ》させたりしてしまうこともあるかもしれません。

そんなとき、「もうこんなところにいたくない！」と思うこともあるし、実際《じっさい》に距離《きょり》を置くこともあるでしょう。

初めは居心地《いごこち》のいい場所であっても、時間が経《た》つにつれて、まわりと話が合わなくなってきたり、友達との交流がへってきたりと、そこにいることに違和感《いわかん》を覚えるようになることもあります。ただなんとなくいづらくなることも。

居場所《いばしょ》とは、そうやって変化していくものです。

半径2キロメートルの世界の中に、すべての居場所《いばしょ》があったきみが、半径10キロメートルの世界に飛び出したときには、居場所《いばしょ》の位置もメンバーも変わっていくのは自然な変化なんです。

もし、きみがそれまでの居場所《いばしょ》に楽しさを感じなくなったり、孤独《こどく》を感じたり、いづらいというときには、無理してそこにいなくてもいいんです。

「ここを失ったら、自分の居場所《いばしょ》がなくなっちゃう」と不安になるかもしれませんが、きみにベストな居場所《いばしょ》はこの先いくらでも見つけられます。

きみの行動範囲《はんい》や、人との出会いは、まだまだ限《かぎ》られています。この先、15歳《さい》、20歳《さい》、30歳《さい》、40歳《さい》……と成長するにしたがって、きみの世界は大きく広がり、広いフィールドを舞台《ぶたい》に、自分がいたい場所を自由にさがすことができるのです。日本を飛び出して、世界に居場所《いばしょ》を求めることもできるでしょう。

居場所《いばしょ》の定義《ていぎ》も人それぞれ。学校、学童、家族、仲間、ネットの世界……。居《い》場所《ばしょ》は、人の数だけ無数にあります。

きみが自分の居場所《いばしょ》だと思えば、そこがきみの居場所《いばしょ》です。そして、ずっとそこにいなければならないこともありません。居場所《いばしょ》はひとつだけという決まりもありません。

無理してまわりに合わせるのではなく、そのままのきみを大切にしてくれる居《い》場所《ばしょ》をさがしてみてください。

# 人の気持ちなんて妄想《もうそう》しても意味がない！

毎朝、わたしの机《つくえ》のところに来て、授業《じゅぎょう》が始まるまでおしゃべりしていた子が今日は他の友達といる。こっちに来る気配もないし、わたしのほうを向いてもくれない。何かきらわれるようなことをしてしまったのかな？

相手の気持ちがわからない、そんなときには「わたし、何かしちゃったのかな」「良くないことを言っちゃったのかな」と、原因《げんいん》さがしに頭はぐるぐる、心はハラハラしてしまうものですよね。

実際《じっさい》に自分で考えていることは、まったくの見当外れであることも多いのですが、原因《げんいん》は自分なのかもしれないと考えて、ひたすら悪い方向に想像《そうぞう》してしまうことは、だれにでもあるものです。

一つ心配事があると、過去《かこ》の出来事までひっぱり出してさらに不安になるのが人間です。

「仲がいいから言っても大丈夫《だいじょうぶ》だと思っていた言葉も、もしかして怒《おこ》らせていた原因《げんいん》なのかもしれない」「もうわたしといることにあきたのかな。わたしのこと、きらいになったのかな」と、次から次へと不安が大きくなることもあるでしょう。

覚えておいてほしいのは、人の思いというのは、オセロをひっくり返すように一瞬《いっしゅん》で正反対の色になるようなことはあまり起こらないということです。

昨日まで仲良くしていた人がまったく別人のように冷たくしてくる、そんなホラー映画《えいが》のようなことは起こらないと思ってもらって大丈夫《だいじょうぶ》です。

相手のことがわからないと、モヤモヤしたら、「信頼《しんらい》」を合言葉にして、いやな妄想《もうそう》にストップをかけましょう。その一瞬《いっしゅん》の出来事よりも今までの関係性《かんけいせい》を信じ、相手を信じて「きっと何かあったんだな」と思うことが大切です。

どれだけ頭を悩《なや》ませても、結局答えは見つかりません。だって人の頭の中なんてのぞけないですよね。

だから相手の気持ちを妄想《もうそう》するよりも、ここまで一緒《いっしょ》にすごした時間をふり返ってみましょう。


相手の一時的な言葉や行動に左右されずに、それまで一緒《いっしょ》にすごした日々を信じる。それが、人を信じるということです。

心配ではなく信頼《しんらい》を胸《むね》に、勇気を出して聞いてみる、話し合ってみるなど、相手の気持ちを知るための行動を起こしてみましょう。

信頼《しんらい》を手放すことのないきみの姿勢《しせい》が、ふたりの関係をより深いものにするでしょう。

# 5
# 「なんとかなる」と思いこむ

あちゃ〜
ギョウザ
焦《こ》がしてしまった…
失敗だ…
ジュウ〜…
失敗ですか？
Buuuu
失敗すると
良いことも
起こると
聞いたことが
あります
良いことかぁ
反省することしか
思いつかないなぁ
OIL
油の量も
少なかったかなぁ

それ、
やってみないと
気づかなかった
ことですよね
うーん
そうかもねぇ
パリ
パリ
あ、
焦げてても
おいしいぞ
失敗じゃ
なかったのかも
しれませんね！
なんとか
なるもんだね
ですよね！

# たいていのことは「なんとかなる」!?

明日は苦手な科目のテストだというとき、「まあ、なんとかなるさ」とポジティブに向き合えますか？

それとも、「悪い点数だったらどうしよう」とネガティブな気持ちが高まってしまうでしょうか？

物事を前向きにとらえられる人は幸せだといわれています。

先の結果を気にして不安になるよりも、「なんとかなる」と目の前の物事に向き合える人は、前に進むための行動ができ、たとえ結果が悪くても自分を受け止めることができます。これが「なんとかなる」因子《いんし》。

たとえばテストの結果が50点だったとき、50点は事実として受け止めるけれど、

「自分はダメだ」と自分を否定《ひてい》せず、「また次がある」「なんとかなる」と立て直すことができるのです。

なんとかなると思える人は、物事の「結果」によって自信を持ったり、逆《ぎゃく》にダメだと責《せ》めたり、自分の評価《ひょうか》をコロコロ変えることが少なくなります。

それは、できる自分もできない自分も、「自分にはこういうところがある」と理《り》解《かい》して、「これでよし」と受け入れることができるからです。

ありのままの自分を受け入れられると、どんな自分も「そのままでＯＫ！」と認《みと》められるようになるのです。

そのうえで、ひとつだけ覚えておいてほしいのは、人はだれでも、存在《そんざい》しているだけで価値《かち》があるということです。

きみが生まれてくるとわかった瞬間《しゅんかん》から、お父さん、お母さん、家族のみんなはうれしくて、わくわくして、とても幸せになりました。きみが笑っただけで、まわりの人の心は温かくなり、活力がわきました。

親、おじいちゃん、おばあちゃん、先生、きみに関わる人たちはみんな、きみの笑顔のために何ができるかと試行錯誤《しこうさくご》しながら取り組んでいます。そういう前向きな力を、きみは存在《そんざい》するだけでもたらし続けているのです。

人は何かができたり、すぐれた能力《のうりょく》があったり、役に立つから価値《かち》があるのではありません。きみがいる、そのこと自体がすでに人を幸せにしているし、価値《かち》があるのです。

存在《そんざい》していること自体がすごいのですから、何をやっても、どんな失敗をしても、価値《かち》が下がることはありません。

そう思うと、何事も「なんとかなる」と思えてきませんか?

ひとつだけ、注意しておきたいのは「なんとかなる」にも、いい使い方と、悪い使い方があるということ。

いい使い方とは、「やれるだけやった」という努力があったうえで、「なんとか

# 5 「なんとかなる」と思いこむ

なる」と思えること。

対して悪い使い方とは、自分はなんの努力もしないまま、ただ「なんとかなる」と唱えて、まるっきり運任《まか》せ、他人任《まか》せにしてしまうことを指します。つまり根《こん》拠《きょ》がない「なんとかなる」。これでは、うまくいかなかったときに、だれかのせいにしてしまいそうですよね。

自分が努力をしたうえでの「なんとかなる」であれば、たとえ思ったとおりにならなくても、解決策《かいけつさく》を思いついたり、助けてくれる人が現《あらわ》れたり、なんとかなっていくものです。


きみの存在価値《そんざいかち》はだれがなんと言おうとゆるぎないもの。何かに取り組んだ結果がどんなものであっても、その価値《かち》は1ミリもゆらぐことはありません。はっきりいって、何が起こっても大丈夫《だいじょうぶ》。「なんとかなるさ」を口ぐせに、やりたいことにはどんどんチャレンジしてみましょう。

# 失敗なんて存在《そんざい》しない

「失敗」と聞くと、何を思いうかべますか？

**ピアノの発表会で頭が真っ白になった**
**サッカーで失点してしまった**
**テストの点数がすごく悪かった**
**受験で不合格《ふごうかく》になった**

失敗で思いうかぶことっていろいろあると思います。
ただ、良いイメージはないですよね。失敗したら怒《おこ》られる、失敗したらはずかしい、だから失敗はしたくない……と考える人のほうが多いでしょう。

「わたしは失敗したことがない。ただ、1万通りのうまくいかない方法を見つけただけだ」

そう言ったのは、世紀《せいき》の発明家トーマス・エジソンです。

エジソンは「白熱電球」や、音楽を聴《き》くための「蓄音機《ちくおんき》」といわれた機械、映画《えいが》を見る装置《そうち》のキネトスコープなど、たくさんの発明をしました。

エジソンがいなければ、今わたしたちが使っている電気を使ったあらゆる家電は存在《そんざい》していません。

テレビも、冷蔵庫《れいぞうこ》も、洗濯機《せんたくき》も何もなし。もちろん、スマホもタブレットもなし。そんな世界、想像《そうぞう》できるでしょうか。

「ゲームもできないし、ユーチューブも見られない世界なんて考えられない！」

そんなさけび声が聞こえてきそうです。

エジソンは今の世界を作り出した人といっても過言《かごん》ではありません。

それだけの発明をした事実だけを聞くと、エジソンはとんでもない成功者だと思いますよね。

しかし、ひとつの発明にたどり着くまでに、エジソンは1万もの失敗をしたというのです。失敗は「この方法ではうまくいかない」と教えてくれる、すると自分はまたひとつ成功へ近づく。エジソンはそのように考えて、何百何千という失敗にもめげずに、進み続けたのです。失敗こそが成功への道しるべだと理解《りかい》したのですね。

「失敗してはいけない」という発想では、永遠《えいえん》に成功にたどり着くことはできないのです。

もしかして今、「失敗しないように」とがんばっていませんか？

**失敗するとこわいから、劇《げき》の主役に立候補《りっこうほ》することをやめた**

**失敗するとはずかしいから、授業《じゅぎょう》では手を挙げない**

そんなふうに、失敗しないために行動してしまっていないでしょうか。

「失敗がこわい」という思考は、成功と逆《ぎゃく》の方向へと向かわせてしまいます。だからこの考えは追い出したほうがいいのです。

でも、これまで失敗したくない、こわいと思ってきたのだとしたら、思考を一気に変えることはむずかしいかもしれませんね。そんなときには、ぜひ次の方法を試してみてください。

失敗してどんより落ちこむ自分がいても、脳内《のうない》では「成功にまた近づいてしまった！」とガッツポーズ。

「え、それってなんかやばいヤツじゃない!?」なんて言われそうですが、これでいいんです。

失敗はチャレンジした証《あかし》。

成功の対義語《たいぎご》は「失敗」でなく、「チャレンジしないこと」と考えてみる。チャレンジしなければ、そもそも成功することもないのですね。ですから、チャレンジした自分は成功への道を着実に進んでいる、そういう意味のガッツポーズです。

「なんとかなる」と唱えて、失敗をおそれずにチャレンジしてみましょう。失敗をおそれずに受け入れていくきみが「わたしって、失敗しないんだよね」と、エジソンの領域《りょういき》に近づく日も遠くありません。

# 失敗から手に入れた経《けい》験《けん》をさがそう

きみが「失敗したなあ」と思ったことを
思い出して、書き出してみよう。

## 最近「失敗した」と思ったことは？

たとえば
- シュートを外した
- うまく音読できなかった
- 友達とけんかした

きみは？

↓

## なんでそうなったと思う？

たとえば
- ねらった場所が悪かったから
- 緊張《きんちょう》したから
- 怒《おこ》らせることをしたから

きみは？

↓

## 次からはどうしたらいいと思う？

たとえば
- シュートの練習をする
- 家でも音読してみる
- もっとやさしくする

きみは？

### 見つけたもの

書いたことはすべて、失敗じゃなくて成功への道。
きみが成功に近づくためのヒントだよ。

# 正解《せいかい》よりもチャレンジのほうがいい

失敗をおそれずにチャレンジすることは、かんたんなことではありません。それでもチャレンジできるようになるポイントは、「小さなチャレンジから始める」ことです。

日常《にちじょう》の中で小さなチャレンジをたくさんする。失敗しても、またちがう方法でチャレンジする。この経験《けいけん》を積み重ねていくと、結果的に大きなチャレンジでも変わらない姿勢《しせい》で取り組めるようになるのです。

たとえば授業中《じゅぎょうちゅう》に手を挙げて答えてみる、わからないときには質問《しつもん》する、というのはすぐに取り入れられる小さなチャレンジです。

ある小学校では、「まちがえたらはずかしいから手は挙げない」という子が多いと気づいた先生が、手を挙げた人にはポイントがつくルールを作りました。

もし答えがまちがっていたとしても、チャレンジしたことに対してポイントがつきます。正解《せいかい》か不正解《ふせいかい》かは関係ありません。

まちがってもいい、答えがわからなくてもいい、それよりも手を挙げて発言する、チャレンジすることに意味があるのです。

でも、どの先生もそんなふうにポイントをくれるわけではないですよね。それなら、自分で自分にポイントをあげましょう。ノートにポイントをつけてもいいですし、チャレンジした分、小さなごほうびをあげてもいいですね。

それを続けてチャレンジの記録を残しておくと、「わたしはこれだけチャレンジができたんだ」という自信にもつながります。

チャレンジした自分って最高、チャレンジした分、成功に近づいた。

そうやって正解《せいかい》したことよりもチャレンジした自分をほめましょう。

「まちがったらはずかしい」「失敗するのがこわい」より「もっとチャレンジしてみたい」の気持ちで動くきみは、どんどん可能性《かのうせい》を広げていくでしょう。

失敗がこわいからとあきらめていることはありませんか？何もしなければ何も起こりません。小さなチャレンジを重ねて、自分の背中《せなか》をおしてあげましょう。人生には限《かぎ》りがあるのですから。

# きみのチャレンジをさがそう

きみが勇気を出してやってみたこと、
「がんばった！」と思うことを書いてみよう。

## 最近チャレンジしてみたことは？

たとえば
- 授業中《じゅぎょうちゅう》に手を挙げた
- 転校生に声をかけた
- 一人で買い物に行った

きみは？

↓

## チャレンジして良かったと思うことは？

たとえば
- 緊張《きんちょう》したけど達成感！
- 友達が増《ふ》えてうれしかった
- 冒険《ぼうけん》みたいでわくわくした

きみは？

↓

## 次は何にチャレンジしたい？

たとえば
- 友達に勉強を教える
- となりのクラスの子と話す
- ごはんを作る

きみは？

### 見つけたもの

きみがいつの間にかしていた、すごいチャレンジ。
前向きにチャレンジし続けたいことだよ。

# 70点でも満点になる!?

**手を挙げて答えるなら、正解《せいかい》を言わないといけない**
**リレーの選手に選ばれたから、常《つね》にクラス一のタイムでないといけない**
**ピアノの発表会は完璧《かんぺき》にひけないといけない**

失敗するのがこわい、まちがえるのがはずかしいと思っている人は、「完璧主《かんぺきしゅ》義《ぎ》」になっているかもしれません。「こうあるべき」「こうでありたい」と、高い理想を持ってがんばっているのですね。

高い目標に向けて努力できることはすばらしいことです。ただ、完璧主義《かんぺきしゅぎ》の人はどれだけ努力してきたかよりも、「結果」に意識《いしき》がいきがちです。

80点とれても、100点じゃなければ満足できないように、努力した自分はまったく評価《ひょうか》されず「ダメな自分」というレッテルを自らはってしまうのです。

もちろん完璧《かんぺき》を目指すのは悪いことではありませんが、それを絶対《ぜったい》だと思ってしまうと、そうでないときの自分を受け入れられなくなります。


本来であれば、まずはきみたちの環境《かんきょう》を作っている大人が、結果ではなく「努力を評価《ひょうか》する」主義《しゅぎ》に変わっていかなくてはいけません。

「よくがんばった！」と親や先生が認《みと》めてくれれば、「ここまでがんばれた」と自分に満足できるようになります。

それが当たり前になったら、幸せですよね。


もしも親が完璧《かんぺき》を求めてくる場合には、親の前で自分をほめましょう。先手必勝で、親が小言を言うより先に、がんばった自分を思い切り評価《ひょうか》する姿勢《しせい》を見せるのです。

**「がんばったでしょ！」と返ってきたテストを見せる**
**「字をきれいに書けたんだよね」とほめポイントを親に教える**
**「前より10点も上がった！」と成長した点をしっかり伝える**

人は、おおざっぱに物事をとらえられるほうが幸せです。

さらに、「毎回時間を確実《かくじつ》に守る人よりも、少しちこくしてしまう人のほうが幸せ」というおもしろい研究結果があります。

もちろん学校や仕事などおくれたらいけない場面もありますが、おくれないようにしなきゃとプレッシャーを感じて動く人よりも、5分おくれてしまっても、「大幅《おおはば》におくれなくてよかった」と、にこにこ登場できる人のほうが幸せなんですね。

「完璧《かんぺき》にやらなきゃ」「がんばらなきゃ」、と自分にプレッシャーをあたえるよりも、「70％くらいできていたら満点！」とゆとりを持って生きていることが、幸せにつながっていくわけです。

さらに、自分のゆとりは、人へのゆとりにもつながります。

余裕《よゆう》がなくてセカセカしている人といると、なぜか自分までそわそわして落ち着かない気持ちになることがあります。

反対に、ゆったり構《かま》えてくれる人といられると、安心、うれしい、楽しいなど、ポジティブな気持ちを感じやすくなります。怒《いか》りや緊張《きんちょう》、不安などが伝染《でんせん》するのと同じように、幸せもまた伝染《でんせん》するのです。

70%できている自分はOK。70%できている相手もOK。

自分に、相手に、心のゆとりをプレゼントして、幸せを広げていきましょう。

# きみをほめるポイントをさがそう

完璧《かんぺき》とは思えなくても、きみがコツコツ
がんばっていることを書いてみよう。

**やりたいけど、うまくできないことは？**

たとえば
- ピアノを上手にひく
- テストの点数を上げる
- 親の手伝いをする

きみは？

**そのためにがんばっていることは？**

たとえば
- 練習をがんばっている
- 宿題はわすれずやっている
- たまに洗《あら》い物はしている

きみは？

**前よりがんばっていると思えるところは？**

たとえば
- 新しい曲をひけるようになった
- 前のテストより点数が上がった
- 手伝えることが増《ふ》えた

きみは？

**見つけたもの**

点数や他人の評価《ひょうか》じゃはかれない、
きみが十分がんばっていることだよ。

# 6
# 「ありのままに」自分さがし

ありのままの自分を大切に
まんぷく亭
この先50m
ありのままの自分ってなんだろう
今まで考えたことなかったです
ありのままのぼくってどんな感じ？
それってだれかに聞いてもいいんですか？

う〜ん
ありのまま…
ありのままの自分か…
実はすごい才能《さいのう》があるとか
ありのままってすごいことじゃなくてもよいのでは?
ドーナツがおいしければなんでもいいや
それがカルパスさんらしいです

# 「ありのまま」の自分ってどんな感じ？

ディズニー映画《えいが》の『アナと雪の女王』が日本で公開された2014年、主人公のエルサが歌った劇中歌《げきちゅうか》が大ブレイクしました。

"Let it go"とくり返されるサビの歌詞《かし》は「ありのままで」と日本語訳《にほんごやく》され、多くの人の心をつかみました。

ありのままで生きるのがむずかしいからこそ「こんなふうに生きたい」という願いがこめられた歌詞《かし》に共感する人が多いのですね。

決められた幸せの形を目指して、だれもが同じ方向を向いていた時代から、自分らしくありのままに生きる時代へとシフトしつつある現代《げんだい》。

それでも「ありのまま」という幸せのあり方は、日本ではまだまだなじみのうすい考え方といえるでしょう。

子どもには自分らしく生きてほしいと思っていても、親自身がそんなふうに育てられていないため、「ありのままでいい」と自信を持って言える人は少ないのです。


人の目を気にしすぎず、自分らしく生きられる人は幸せです。人と比《くら》べることなく自分を認《みと》め、自分で考え、決めて、行動できていること。

これが「ありのままに」因子《いんし》です。


ありのままに、好きや得意《とくい》を仕事にできれば、より楽しく働けます。得意《とくい》なことで人の役に立てるので、自信と喜《よろこ》びが生まれ、もっとがんばりたい、次はこうしてみようという意欲《いよく》とアイデアがあふれてきます。

ありのままに、思ったことを自由に話せる友達がいれば、自分の気持ちをねじふせたり、人の意見に合わせたりして、つらくなることはありません。

勘《かん》ちがいされやすいのですが、ありのままは「わがまま」ではありません。人にめいわくはかけずに、自分の考えや気持ちを守ることです。

実はありのままを出すほどに、きみはまわりから好かれ、生きやすくなります。


「きみの考えは素敵《すてき》だね」

「きみっておもしろいね！」

「きみにしかできないよ」


そんな言葉がきみのもとにとどいたら、自分でいることがきっとほこらしくなり、きみ自身の魅力《みりょく》をどんどん見つけていくでしょう。

# ネガティブな気持ちまで拾う

ところで「ありのままのきみってどんな人?」と聞かれて、答えられますか?

そういえば考えたことがない、という人も多いでしょう。そんな自分を知るためのヒントは、すでにお話ししたとおり、日々ゆれ動く「感情《かんじょう》」です。

その感情《かんじょう》をキャッチするためには、2つの方法があります。

**人に話すこと**
**書き出すこと**

つまり、頭の外に出すことが大切なんです。

たとえば、昨日見たアニメの感想も、友達と話すことでもっともりあがって記《き》憶《おく》に残りやすくなったりしませんか？　そうやってその日の出来事や思ったことをだれかに話すことは、自分の気持ちを知るためにとても効果的《こうかてき》です。

でも、はずかしかったりうまく話す自信がなかったりもしますよね。

そんなとき、人と話すのとほぼ同じ効果《こうか》があるのは、書き出すことです。日記をつけるのがめんどうくさいと思う人は、ただ紙に書き出すだけでも大丈夫《だいじょうぶ》です。ポイントは、うれしかったこと、楽しかったことなどポジティブなことだけでなく、くやしい、悲しいなど、ネガティブな感情《かんじょう》も隠《かく》さずに書き出してみること。自分の気持ちにうそをつかないことです。

「こんなことがあって、こう感じたから、悲しかった」と書き出してみると、それだけでモヤモヤしていたことがすっきりした、原因《げんいん》が見えて解決方法《かいけつほうほう》がわかった、気持ちが落ち着いた、なんてうれしい効果《こうか》もあります。

なぜこうした効果《こうか》があるのかというと、書いているうちに「もういやだ！」という感情《かんじょう》のうずから自分を切りはなすことができて、気持ちの整理ができるからです。書き出すことで、自分を「客観的」に見られるのです。

たとえば、きみが体からぬけ出して、空を飛んでいるイメージをしてみてください。そして、ちょっと上から自分を観察するんです。そうすると、「あれ、なんでこんなに泣いているんだろう？」と少し冷静に自分を見ることができます。これが客観的に見るということです。

実は「視野《しや》が広い人は幸せ」という研究結果もあります。つらいときに人に話すと元気になれるのは、話した相手がきみのことを客観的に見て、広い視野《しや》でとらえた景色を教えてくれるからなんです。

そして書き出すことは、だれかに聞いてもらったのと同じ効果《こうか》があります。頭の中だけで考えても、客観的に見ることはあまりできません。ぐるぐる同じ考えがめぐり、スフレが空気をふくんでふわふわとふくらんでいくように、「もういやだ！」という感情《かんじょう》が大きくなるばかりです。

もしネガティブな感情《かんじょう》がわき起こったら、自分の中にとどめずに外に出して見つめてみましょう。信頼《しんらい》できる人に話すのもよし、書き出すのもよしです。

そして覚えておいてほしいのが、ネガティブな感情《かんじょう》は悪者ではないということ。きみの中の一部で、きみを構成《こうせい》している大切な要素《ようそ》です。

外に出して見つめるのは、自分から切りすててしまうこととはちがいます。むしろちゃんと見つめて、自分の大切な一部なんだとむかえ入れてあげるためなんです。

ネガティブなところもふくめて、「ありのまま」のきみです。

だからネガティブがやってきたときには、どっしりと受け止めて、一回外から見てみましょう。そして「なんでそう感じたんだろう？」と分析《ぶんせき》していくと、自分のこともよく見えてきますよ。

# きみの心が動く瞬間《しゅんかん》をさがそう

最近きみのまわりで起きた、うれしかったこと、
悲しかったことを書いてみよう。

## 最近あったうれしかったこと・悲しかったことは?

たとえば
- 友達と遊園地に行った
- 兄弟とけんかした
- サッカーの試合で負けた

きみは?

## なんでうれしいと思ったんだろう?

たとえば
- 友達といると楽しいから
- 初めて行く場所だったから
- みんなが笑顔だったから

きみは?

## なんで悲しいと思ったんだろう?

たとえば
- ひどいことを言われたから
- 本当は仲良くしたいから
- すごく勝ちたかったから

きみは?

### 見つけたもの

きみが何をうれしい、悲しいと思うか、
どんなときに心が動くかがわかったよ。

# ほしいものより持っているものを大切に

**「〇〇くんのほうが、成績《せいせき》がいい」**
**「〇〇ちゃんは、いつも遊ぶ人がいるのに、わたしにはいない」**
**「ぼくはみんなより背《せ》が低い」**

人は成長するにつれて、まわりの人と自分を比《くら》べて、自分を評価《ひょうか》してしまうことが増《ふ》えてきます。

きっと、きみを大切に思っている人たちは、「きみはきみのままでいい」「人と比《くら》べる必要はない」と必ず言ってくれるでしょう。どうやったらきみの悩《なや》みがなくなるのかと、解決《かいけつ》方法を一緒《いっしょ》にさがしてくれるかもしれません。

「人と比《くら》べることから不幸が始まる」と言った人がいましたが、まったくそのとおり。

だれかと比《くら》べて自分はいい、悪いと考えているときは、当然幸せではありません。たとえ一時的に優越感《ゆうえつかん》を抱《いだ》いたとしても、その喜《よろこ》びは、自分よりすぐれた人、きれいな人、お金を持っている人が現《あらわ》れると一瞬《いっしゅん》でなくなってしまうのです。

まったく人と比《くら》べずに生きることはむずかしいものですが、人と比《くら》べることがやめられないときに、いい方法があります。

その方法とは、人が持っているものではなく、自分がすでに持っているものを数えることです。

比《くら》べるということは、意識《いしき》が自分の中ではなく外へと向いてしまっている状態《じょうたい》。「どうしたらこのいやな気持ちから解放《かいほう》されるんだろう」と考えても、意識《いしき》が自分の外に向き続けている限《かぎ》り、考えれば考えるほど沼《ぬま》にはまっていってしまうのです。

ですから、その矢印を自分のほうに向けてみましょう。

そこで、「わたしが生きるうえで大切にしているものってなんだっけ？」と自分に聞いてみてください。

正直でいること、親切心、真実、笑顔、友達、健康、家族、信じること、たくさんでてくると思います。ここで出てきたものは、すべて、すでにきみが持っているものなのです。

**一緒《いっしょ》にサッカーをする友達がいること**
**好きなマンガがあること**
**かわいいペットがいること**
**いつも話を聞いてくれる家族がいること**

大切にしているものを一つひとつ思いうかべると、そこにまつわる出来事や、楽しい、うれしいなどの感情《かんじょう》、また感動や感謝《かんしゃ》の気持ちが思い出されてきませんか。

そうして自分がすでに持っているものをながめてみると、「自分もまあ、いいね」「こんなにたくさん持ってるじゃん」と、人と比《くら》べて落ちこんでいた気持ちから、はなれることができるのです。

人と比《くら》べて「あれもない」「これもない」と苦しくなったら、すでに自分の中に「あるもの」に意識《いしき》を向けましょう。外に向きすぎていた視点《してん》を、自分にもどしてあげられますよ。

## きみが大切にしているものをさがそう

きみにとって大切なものを思いつく限《かぎ》り書いて、
その中でこれからも大切にしたいものをさがそう。

### 今のきみにとって大切なものは何?

たとえば
- 家族、先生、ペット
- ゲーム、本、ユーチューブ
- やさしさ、安心、元気

きみは?

### その中でだれかと比《くら》べてしまうものは?

たとえば
- お金
- グッズ、カード、ゲーム機
- 順位、地位

きみは?

### 人と比《くら》べられない、<br>人生の最後に持っていたいものは?

たとえば
- チャレンジする心
- 思いやり、正直さ
- 友達

きみは?

**見つけたもの**

最後に残ったものは、きみにとっての大切なもの、
これからの人生でも大切にしていきたいものだよ。

# 人に聞く前に自分で一回考えてみる

## 「どの服を着たらいい？」「何時に出ればいい？」

Jちゃんは、ちょっとしたことでもわからないと思ったらすぐに親に聞いています。

「白い服がいいんじゃない」「10時に出れば間に合うわよ」とお母さんが言うと、Jちゃんは親のアドバイスどおりにしていました。

親に聞けばいつでも正解《せいかい》を教えてくれるし、提案《ていあん》をそのまま採用《さいよう》するだけでいい子だねとほめられます。だからJちゃんは中学、高校、大学と親のアドバイスのとおりにして、順風満帆《じゅんぷうまんぱん》に進んでいました。

ところが社会人になると「どうしたらいいですか？」と聞いても、「自分で考えて」と、答えを教えてもらえなくなりました。正解《せいかい》を教えてくれる先生や親はもういません。

「自分で考えて、決めて」

社会に出るとそう言われることばかりです。

自分で考えること、決めることをしないまま生きてきた人は、「自分で考えるってどうすればいいの？」とぼう然としてしまうでしょう。

正解《せいかい》を知りたい、選びたい。自分で考えるより、聞いたほうが早い。

その気持ちはとってもよくわかります。子どものころのわたしも、親がこうしたほうがいいよということをまるっと受け入れるような子でした。

そんなわたしも高校生くらいから少しずつ自分で決めるようになり、大学、仕事、結婚《けっこん》相手と、すべて自分で選んで今があります。

そして、こうしてきみに「幸せってなんだろう」と伝えることができているわけです。

「決められない」の裏《うら》には、「正しい選択《せんたく》をしなきゃいけない」「正解《せいかい》を言わなきゃいけない」という気持ちが隠《かく》れています。特に日本の教育は正解《せいかい》を求める傾《けい》向《こう》があるので、正しい答えを言えないとはずかしい、正解《せいかい》を言えないと怒《おこ》られる、と無意識《むいしき》のうちに思っている人が多いのですね。

海外を見ていいなと思うのは、小さいころから常《つね》に大人が子どもに「どうしたい？」と聞く習慣《しゅうかん》があるところです。「今日はどの服を着たい？」「あの発言についてどう思う？」など、日常《にちじょう》の小さなことから意見を聞いて育てます。

学校の授業《じゅぎょう》で大事にされているのは正解《せいかい》を言うことではなくて、自分の考えを言うこと。

「ぼくはこう考えた」「わたしはこう思います」と発言するたびに、なるほど、すばらしい、そんな発想があるんだねと評価《ひょうか》されるので、自分の考えを話すことは喜《よろこ》びになります。

もし「わかりません」と言う子がいたときには、先生は「テイク・ユア・タイム（ゆっくり考えて）」と言います。

自分の考えはきみの中に当然あるから、それをゆっくり見つけてみてということです。だれもが自分の考えを持っていて当たり前になっているんですね。

わたしが大人になるにつれてわかってきたのは、正解《せいかい》というものはどこにもないことです。

あえて正解《せいかい》という言葉を使うなら、「これがいい」と下した決断《けつだん》が自分の正解《せいかい》。自分の決断《けつだん》を「これでいいんだ」と信じ切ることが何よりも大切なのです。

決断《けつだん》をだれかにゆだねていると、自分の正解《せいかい》を持てなくなってしまいます。決断力《けつだんりょく》は、自分で決める経験《けいけん》を積み重ねることでしか身につかないのです。

だからこそ、もしわからないことがあったら、すぐだれかに正解《せいかい》を求めず「どうしたい？」「どう思う？」といったん、自分に聞いてみるようにしていきましょう。

いくら考えてもわからなければ、それはきっとだれかを頼《たよ》るべきときです。

何を飲みたい？　何を食べたい？　今日は何をする？

日常《にちじょう》の小さな選択《せんたく》を自分で決めていくことから始めましょう。

わからなかったら、テイク・ユア・タイム！　答えはあせらずゆっくり出せばいいのですから。

# きみが決められることをさがそう

きみの一日を思い出して、その中で、
自分で決められているかどうか考えてみよう。

**最近、自分で決められたことは?**

たとえば
- 図書館で借りる本
- 一緒《いっしょ》に遊ぶ友達
- 朝、起きる時間

きみは?

**逆《ぎゃく》に、だれかに決めてもらったことは?**

たとえば
- 習い事
- 外に着ていく服
- 遊ぶ場所

きみは?

**これからは自分で決めたいことはある?**

たとえば
- 学校で入るクラブ
- ごはんのメニュー
- 休みの日の予定

きみは?

**見つけたもの**

書いたことはすべて、きみが自分で考えて、
決めて、行動していけることだよ。

# 「変わらなきゃ」は人に合わせているサイン

ひとりでいることが好き、放課後は家の中で遊びたい、休みの日も家にいるのが好きというきみ。ゆったり、静かに、おだやかにすごすことが心地よいのですね。とてもいいと思います！

自分のことをちゃんとわかっていてすばらしいです。

でも、もしかしたら……、

「もっと友達と遊びなよ」

「部屋にこもらないで、たまには外に出なさい」

「もっと時間を有意義《ゆういぎ》に使わないと、もったいない」

親や先生からそんなふうに言われることはありませんか？

明るくて、みんなと仲が良くて、外で活発に遊ぶのがいいことで、いつも静かで、一人でいるのが好きで、家でゆったりすごすことはあまりいいことではない、と考える人も少なくないようです。

もしかしたら「あの子みたいに活発にならなきゃ」と思うことがあるかもしれません。

「ありのまま」は人や社会に合わせて変えるものではありません。

だから、もしきみが今「変わらなきゃ」と思っているとしたら要注意です。「変わらなきゃ」という言葉は、「本当は変えたくないけど、まわりに認《みと》められるために自分を変えなきゃいけない」と思っているときだからです。

仮《かり》に、そうした不安から自分を変えたとしても、それは幸せな変化ではありません。ありのままの自分にうそをついている状態《じょうたい》なので、幸せとは逆《ぎゃく》方向に向かってしまっているのです。

ただ、幸せな変化もあります。

人前でうまく話せなかった人が、営業《えいぎょう》の仕事でバリバリ活躍《かつやく》したり、低学年のうちは自分の意見を言えずに教室ではだまっていた人が、高学年になるにつれて意見を言えるようになったり。

自分の中からわき起こる「変わりたい」を原動力にした変化は、成長とよばれる幸せな変化です。

「こうなりたい」「変わりたい」というわくわく感から変化できると、ありのままの自分のすがたが、よりはっきりしてきます。

他人の意見は関係なく、本当になりたい自分像《じぶんぞう》が見えてくるのです。

「変わらなきゃ」ではなく「変わりたい！」という声に耳をすませてみましょう。

# きみが見つけた
# 7
# 幸せのピース

# 幸せさがしの旅で見つかったもの

ここまで、

**やってみよう**
**ありがとう**
**なんとかなる**
**ありのままに**

という4つのカギを手がかりに、

「自分だけの幸せってなんだろう？」

と、さまざまな角度から、きみのことをさぐってきました。

そのなかで、きみのことを知る10個《こ》の質問《しつもん》にも答えてもらいましたね。すぐに書けたものもあれば、すごく時間がかかったものもあるかもしれません。

自分のことはわかっているつもりでも、いざ聞かれるとわからない！　というのはよくあることです。

きみも、自分の新しい一面が見えてきたのではないでしょうか？

では、最後にもう一度、10個《こ》の質問《しつもん》をふり返ってみましょう。

次のページから、1章ごとにふり返りながら、きみの見つけた答えを書き出してみてください。

ページ数も書いてあるので、自分が書いたことを思い出しながら、考えてみるといいでしょう。

もちろん、ここでも「正解《せいかい》」はありません。

きみが見つけた自分らしさを、きみの言葉で、自由に書いてくださいね。

## 【やってみよう】のピース

**きみの夢《ゆめ》（なりたい状態《じょうたい》）をさがそう** 80ページ

↓将来《しょうらい》、どんなことをして、どんな気持ちになっていたい？

**きみのやりたいことをさがそう** 98ページ

↓あきらめていたけれどやりたいことと、その実現《じつげん》方法は？

# 【ありがとう】のピース

## きみの大切なつながりをさがそう

105ページ

↓これからも一緒《いっしょ》にいたい人と、その理由は？

## 日常《にちじょう》にある感謝《かんしゃ》をさがそう

109ページ

↓きみが「ありがとう」と伝えたいこと・人は？

# 【なんとかなる】のピース

**失敗から手に入れた経《けい》験《けん》をさがそう** 141ページ

↓失敗したなと思うことと、次に成功するための作戦は？

**きみのチャレンジをさがそう** 145ページ

↓前向きにチャレンジし続けたいことは？

**きみをほめるポイントをさがそう** 150ページ

↓「がんばっている！」と自分をほめられるポイントは？

# 【ありのままに】のピース

**きみの心が動く瞬間《しゅんかん》をさがそう** 161ページ

↓きみはどんなときにうれしい、悲しいと感じる？

**きみが大切にしているものをさがそう** 166ページ

↓これからの人生で大切にしていきたいもの・ことは？

**きみが決められることをさがそう** 172ページ

↓これからは自分で決めて、実行していきたいことは？

# きみの中にある四つ葉のクローバー

自分のことが見えてきましたか?

各章の質問《しつもん》で見つかった、きみに関するさまざまな答えは、バラバラに見えて、実はそれぞれがある一つのかたちをつくるピースになっていたんです。

それが次のページにある、四つ葉のクローバーです。

そしてこれは、きみの中の幸せの4因子《いんし》(63ページ参照)を表しています。

四つ葉のクローバーが幸運を招くクローバーとよばれているのは、みなさんも知っていますよね。

幸せの4因子《いんし》も四つ葉のクローバーと同じ。一つの因子《いんし》は、四つ葉を作り出す一枚《いちまい》の葉。4つの要素《ようそ》が自分の中に育ったときに自分だけの幸せを見つけられる、そんなイメージがあります。

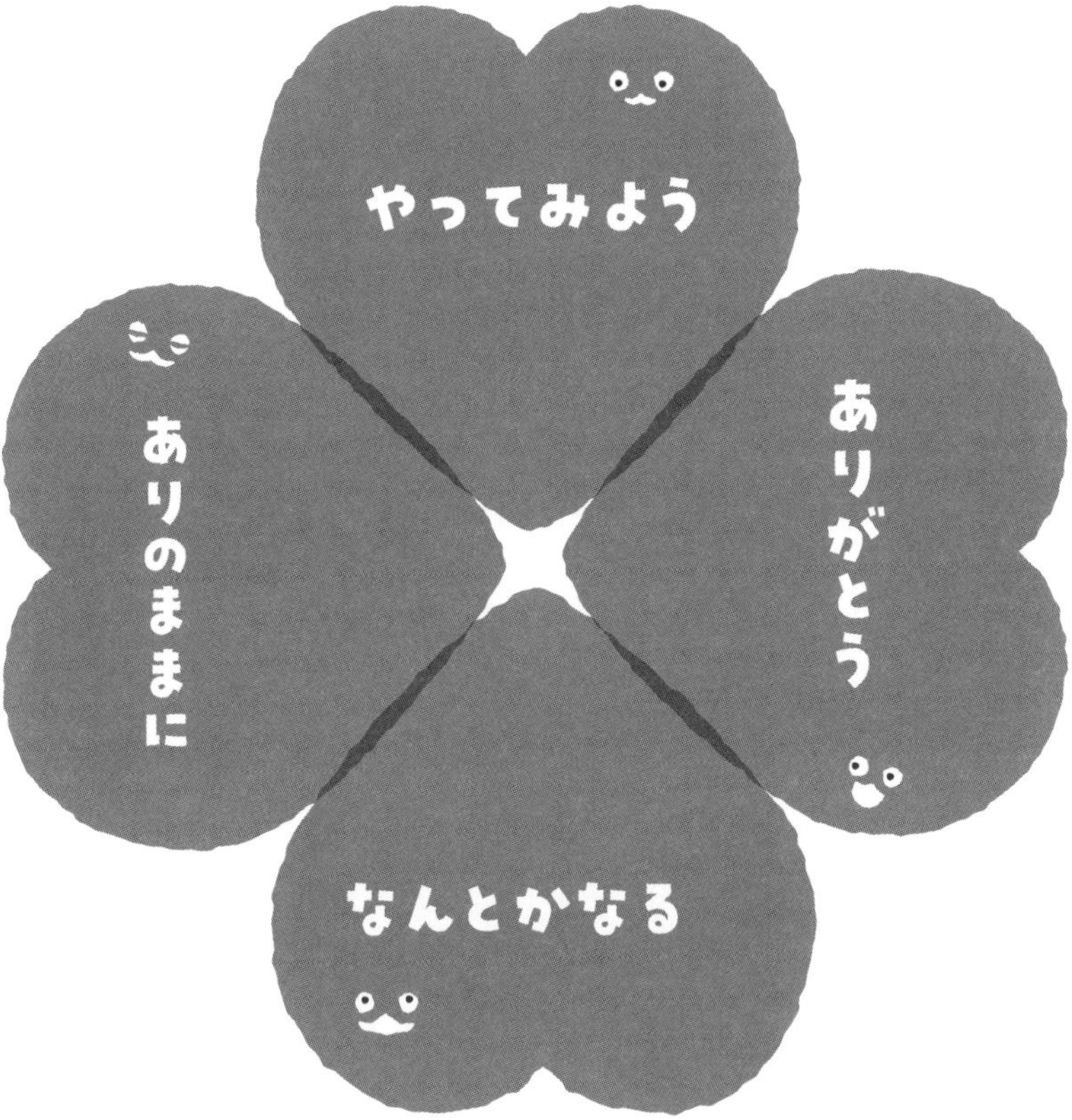
やってみよう
ありがとう
なんとかなる
ありのままに

そしてこの本では、きみの中の4因子《いんし》をさがす旅をしてきました。

「やってみよう」「ありがとう」「なんとかなる」「ありのままに」の4因子《いんし》を満たすと幸せを感じられることは、研究によってあきらかになっています。

まったく同じ形の四つ葉のクローバーがないように、幸せの4因子《いんし》の育て方も人それぞれです。


きみが「やってみよう」と思うこと、きみが「ありがとう」と伝えたいこと、きみの「なんとかなる」と思える方法、きみが「ありのままに」感じること。

それぞれの葉に書いたきみの答え。つまり、この本で見つけたきみだけの四つ葉、幸せの4因子《いんし》は、きみが行動した分だけ育っていきます。


見つけたらゴールではなく、ここからスタート。

きみを幸せにするのは、いつだってきみ自身です。

# 今のきみの中にある四つ葉のクローバーを描《か》いてみよう!

**きみの中の幸せの4因子《いんし》を
四つ葉のクローバーにたとえて描《か》いてみよう!**

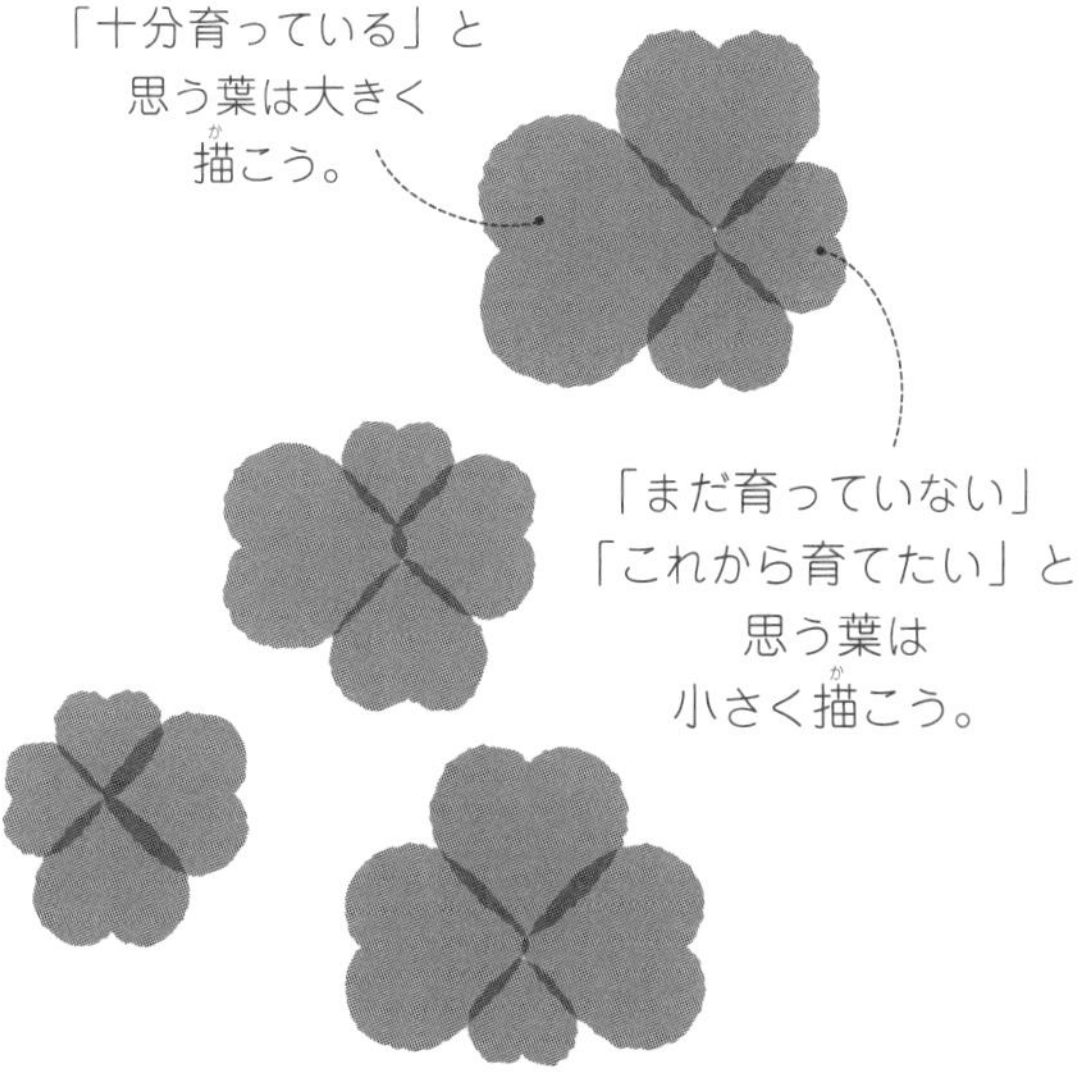
「十分育っている」と
思う葉は大きく
描《か》こう。
「まだ育っていない」
「これから育てたい」と
思う葉は
小さく描《か》こう。

きみだけのオリジナルクローバーを作ろう。
1年ごとに描《か》いてみると、成長も見えるよ!

# おわりに　～すべての子どもたちにエールを～

ここまで読んでくれてありがとうございます。きみだけの幸せをさがす旅はいかがでしたか？　何かを見つけてくれたのなら、わたしもうれしいです。

この本は、人生で初めて読むウェルビーイング（幸せ）の本として作りました。大人がそばにいなくても一人で読めて、幸せに生きる秘訣《ひけつ》を教えてくれる本。わたしがそんな本を書いたのは、みなさんにある思いを伝えたかったからです。

**どんなときも、きみが一番にきみの幸せを信じていてください。**

だれでも子どものころは、野球選手になりたい、歌手になりたい、家族がほしいなど、純粋《じゅんすい》な夢《ゆめ》や希望を持っているもの。

しかし、大きくなればなるほど、自分の心の奥底《おくそこ》にある本当の気持ちではなく、大人や他の友達の意見に影響《えいきょう》され、夢《ゆめ》を持つことさえわすれてしまいがちです。どうかその夢《ゆめ》をわすれないでください。一度しかない人生です。悔《く》いがないように夢《ゆめ》と向き合いましょう。

ときには悩《なや》んだり、不安になったり、やる気がでなかったりすることもあるかもしれません。しかし、それは順調にモヤモヤしてるんです（笑）
悩《なや》むことは悪いことではなく、成長できるチャンス。だから安心して、そのモヤモヤを味わってみてください。

元気が出てきたら、ちょっとでも興味《きょうみ》のあることにチャレンジしてみてください。何度もくり返すうちに、それがきみの個性《こせい》となり、自信へとつながります。

自信ができると自分のことを好きになり、自分を思いやれるようになります。

そして自分を思いやれるようになると、他の人も思いやれるようになります。

すると、いつもきみを信じて、味方でいてくれる人たちに必ず出会えます。

もしまわりにいないと思ったら、この本を書いたわたしが、きみを信じて大切に思う一人になります。だから安心して、きみの幸せのために生きてください。

幸せをさがす旅もこれでもうおわり、と思いきや、これからが本番です。

どんなときも自分を大切に、自分を信じて、きみの幸せをさがし続けてください。必ず、応援《おうえん》してくれる人がきみのまわりにいます。そして、自由にきみだけの人生を作っていってください。そうするだけの力がきみにはあります！

わたしはずっと応援《おうえん》しています。

世界中の子どもたちが、そして大人たちが、自分らしくいきいきと幸せに生きられることを、心から願っています。

心からの愛をこめて。

前野マドカ

著者

## 前野マドカ

EVOL株式会社代表取締役CEO。慶應義塾大学大学院システムデザイン・マネジメント研究科附属システムデザイン・マネジメント研究所研究員。国際ポジティブ心理学協会会員。サンフランシスコ大学、アンダーセンコンサルティング（現アクセンチュア）などを経て現職。

「誰もが幸せに生きる社会を創りたい」という思いで、夫の前野隆司とともに人の幸せに関する研究を続けている。また自身の経験も活かし、女性の働き方や子育てについてのワークショップ、コンサルティングなども行う。

著書に『ニコイチ幸福学　研究者夫妻がきわめた最善のパートナーシップ学』（CCCメディアハウス）、『なんでもない毎日がちょっと好きになる　そのままの私で幸せになれる習慣』（WAVE出版）、『ウェルビーイング』（日本経済新聞出版）、『幸せなチームが結果を出す　ウェルビーイング・マネジメント7か条』（日経BP）などがある。

漫画

## かるめ

料理と食べることが何より好きな漫画家。日常やオリジナルキャラクターの漫画をブログやSNSで日々更新中。著書に『今日も飯がうまい！～食べる幸せあるある～』（KADOKAWA）がある。
Instagram：@karume_land

ブックデザイン/アートディレクション　辻中浩一 + 村松亨修(ウフ)
漫画/イラストレーション　かるめ
四つ葉キャラクターデザイン　辻中浩一
編集協力　福井壽久里
DTP　小山田倫子
校正　株式会社ぷれす
編集　枝久保英里

きみだけの幸せって、なんだろう?

2024年3月13日　第1版　第1刷発行

著　者　　前野マドカ
発行所　　WAVE出版
〒102-0074　東京都千代田区九段南3-9-12
TEL 03-3261-3713　FAX 03-3261-3823
振替 00100-7-366376
E-mail: info@wave-publishers.co.jp
https://www.wave-publishers.co.jp
印刷・製本 中央精版印刷株式会社


NDC 159　191p　19cm　ISBN978-4-86621-456-6